플라이휠을 돌려라

Good to Great의 추진력은 어떻게 만들어지는가

플라이휠을 돌려라

짐 콜린스 | 이무열 옮김
JIM COLLINS

Turning
the
Flywheel

김영사

플라이휠을 돌려라

Good to Great의 추진력은 어떻게 만들어지는가

1판 1쇄 발행 2021. 3. 22.
1판 2쇄 발행 2023. 10. 26.

지은이 짐 콜린스
옮긴이 이무열

발행인 고세규
편집 임여진 디자인 정윤수 마케팅 윤준원 홍보 이한솔
발행처 김영사
등록 1979년 5월 17일(제406-2003-036호)
주소 경기도 파주시 문발로 197(문발동) 우편번호 10881
전화 마케팅부 031)955-3100, 편집부 031)955-3200, 팩스 031)955-3111

값은 뒤표지에 있습니다.
ISBN 978-89-349-8980-6 03320

홈페이지 www.gimmyoung.com   블로그 blog.naver.com/gybook
인스타그램 instagram.com/gimmyoung   이메일 bestbook@gimmyoung.com

좋은 독자가 좋은 책을 만듭니다.
김영사는 독자 여러분의 의견에 항상 귀 기울이고 있습니다.

깊은 충심과 사랑, 영원한 우정을 담아

자신들이 누군지 아는 내 가까운 형제들에게 바친다.

차례

Turning

↻

플라이휠 돌리기

the
Flywheel

"아름다움은 장식 효과가 아니라
구조적 정합성에서 나온다."

피에르 루이지 네르비 [1]

《좋은 기업을 넘어 위대한 기업으로 Good to Great》가 막
출시되던 2001년 가을, 아마존닷컴 Amazon.com에서 설립
자 제프 베조스 Jeff Bezos와 경영진 몇 명이 함께하는 활기
찬 대화 자리에 나를 초대했다. 때는 바야흐로 닷컴 파산
이 한창이던 시점으로, 아마존이 어떻게 사세를 회복하고
위대한 기업으로 성장할지, 과연 그럴 수는 있을지 사람
들이 궁금해하던 참이었다. 나는 그들에게 우리의 연구에
서 밝혀낸 '플라이휠 효과'를 가르쳐주었다.

좋은 회사에서 위대한 회사로의 전환이 만들어지는 과정에는 결정적인 행동 한 방이나 원대한 프로그램, 한 가지 끝내주는 혁신, 혼자만의 행운, 한 순간의 기적 같은 것은 없다. 전환은 오히려 거대하고 무거운 플라이휠을 돌리는 일과도 같다. 플라이휠을 힘껏 밀어 아주 조금 움직인다. 계속 밀어 끈질긴 노력 끝에 마침내 한 바퀴 돌린다. 거기서 멈추지 말고 계속 민다. 플라이휠이 조금 더 빠르게 움직인다. 두 바퀴… 이어서 네 바퀴… 여덟 바퀴… 플라이휠에 타력이 붙는다. 열여섯… 서른둘… 회전 속도가 빨라진다. 일천… 일만… 십만 바퀴. 이윽고 어떤 시점에 이르면 돌파가 일어난다! 플라이휠이 휙휙 난다. 타력을 정지시키기가 거의 불가능해진다.

이 책을 통해 **당신이 처한 특수 상황**에서 플라이휠의 추진력을 만들어내는 법을 완전하게 터득하여 창조적으로, 규율 있게 적용하는 순간, 당신은 전략적 조합 능력을 얻게 된다. 훌륭한 결정과 탁월한 실행이 거듭될 때마다 이전의 성과 위에 새로운 성과가 차곡차곡 쌓이며 조합된다. 이것이 위대한 것을 만들어내는 방법이다.

아마존 팀은 플라이휠 개념을 포착, 활용하여 자신들의 회사를 최적의 상태로 가동시키는 추진 장치가 무엇인지 명확히 했다. 베조스는 더욱더 많은 고객에게 더욱더 많은 가치를 창출해낸다는 집요함을 아마존에 불어넣어왔다. 고객을 위한 가치 창출은 그 자체로서 강력한 동인이었고, 훌륭한 목적이기도 했다. 그러나 그것이 다른 것과 구별되는 핵심 요인은 단지 '좋은 의도'가 아니라 베조스와 회사가 그것을 반복 순환고리로 전환시킨 방식에 있었다. 브래드 스톤Brad Stone은 후일《아마존, 세상의 모든 것을 팝니다》(21세기북스, 2014)에 이렇게 썼다.

"베조스와 참모들은 자신들만의 선순환 고리를 스케치했고, 그것이 자기네 사업에 동력을 불어넣을 거라고 믿었다. 다음과 같은 순환고리였다.

'더 낮은 가격이 더 많은 고객의 방문을 유도한다. 더 많은 고객이 판매량을 늘리고, 수수료를 내는 제3의 판매자를 사이트로 더 많이 유인한다. 그럼으로써 아마존은 물류 포장센터나 웹사이트 운영 서버와 같은 고정비용의 압박을 덜 수 있게 된다. 효율이 높아지면서 회사는 가격을 더 낮출 수 있게 된다.'

이 플라이휠의 어느 지점에 힘이 가해지든 상관없다고 그들은 판단했고, 실제로 순환고리는 계속 가속되었다."

그렇게 플라이휠이 돌며 추진력을 쌓아갔다. 플라이휠을 밀라. 추진력을 더하라. 줄기차게 반복하라. 베조스는 아마존의 플라이휠 컨셉 응용을 '비법'으로 여겼다고 스톤은 말한다.[2]

아마존 특유의 플라이휠의 본질을 아래에 내 방식으로 도식화해보았다. (이 책 곳곳에서 나는 특정한 플라이휠의 개념을 간략한 스케치로 도해화했다. 분명히 해두는데, 각 사례의 플라이휠에는 나만의 방식이 투영돼 있다. 이 플라이휠을 만든 리더들은 도해 속에 나보다 더 많은 뉘앙스를 담아냈을 것이다. 이 도해들을 이용하여 플라이휠의 개념을 파악하고 자신만의 플라이휠에 관한 사고를 자극해보라.)

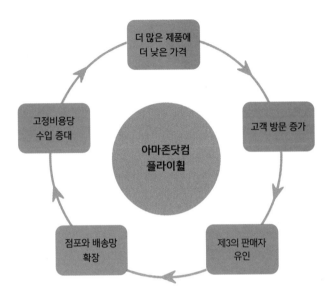

거침없는 논리에 주목하라. 머릿속으로 아마존의 플라이휠을 따라 몇 차례 돌다 보면, 그 추진력에 거의 휩쓸려 들어갈 수 있다. 플라이휠의 각 구성 요소들이 당신을 다음 구성 요소로 태우고 가서는 순환고리 위에다 내던져 버리다시피 한다.

베조스와 그의 팀은 닷컴 파산이 한창이던 시절 공황 상태에 빠져 플라이휠을 포기하고, 내가《좋은 기업을 넘어 위대한 기업으로》에서 파멸의 올가미로 설명한 현상에 빠져들 수도 있었다. 회사들이 파멸의 올가미에 붙잡히면 새로운 구세주나 프로그램, 유행, 이벤트, 방향 따위를 부여잡는 등 규율을 잃고 반응하며 실망스러운 결과를 내고, 이는 더 큰 실망으로 이어진다. 그들은 계속해서 또다시 규율 없이 반응하고, 훨씬 더한 낙담이 뒤따른다.

아마존은 그러는 대신 자신의 플라이휠에 온전히 몰입했고, 그 플라이휠 안에서 공격적인 혁신을 단행하며 추진력을 축적하고 가속했다. 단지 살아남는 데 그치지 않고, 닷컴 시대에 부상한 회사들 중 가장 크게 성공하여 영속하는 기업이 되었다. 시간이 흐르면서 아마존은 단순한 전자상거래 웹사이트 훨씬 너머로까지 플라이휠을 개량하고 확장하며, 인공지능이나 기계학습 같은 신기술 가속기로 플라이휠의 성능을 향상했다. 그러나 그러는 내내 플라이휠의 밑바탕 구조는 거의 그대로 둔 채로 세계 유수의 기업들이 경외해 마지않는 고객가치 조합 장치를 창조해냈다.

거대한 플라이휠의 힘을 절대 과소평가하지 마라. 플라이휠이 매우 오랫동안 조합 추진력을 쌓아갈 때는 더더욱 그렇다. 당신의 플라이휠을 올바로 찾는 순간, 당신은 수년이고 수십 년이고 그 플라이휠을 계속 개량하며 확장해가기를 원하게 된다. 결정을 내릴 때마다, 행동할 때마다, 기회를 맞을 때마다, 각각의 순환고리에 효과가 누적된다. 그러나 최고의 성과를 내려면 '당신의 특수한 플라이휠'이 어떻게 돌아가는지 이해할 필요가 있다. 당신의 플라이휠은 아마존의 플라이휠과 거의 틀림없이 다르겠지만, 그것만큼 명료해야 하고 논리도 그만큼 견실해야 한다.

《좋은 기업을 넘어 위대한 기업으로》를 출간한 이후 여러 해 동안, 나는 수십 개의 리더십 팀에게 아마존 팀이 스스로 했던 것과 같은 일에 자력으로 도전해보게 했다. 그 팀 중 일부는 콜로라도주 볼더에 있는 우리의 '좋은 회사에서 위대한 회사로 프로젝트The Good to Great Project' 경영연구소로 찾아왔고, 나는 개개의 팀이 마치 조각 그림 맞추듯 자신의 플라이휠을 짜 맞추는 모습을 지켜보았다.

그들은 조각들을 쭉 늘어놓고는 이것저것 만지작거리며 논박과 토론을 이어갔다. 자신들의 플라이휠을 올바로 구성하기 위한 일종의 규율 있는 사고 과정이었다. 필수 요소는 무엇일까? 어떤 구성 요소가 우선일까? 다음은 무엇일까? 왜? 순환고리는 어떻게 완성할까? 너무 많은 요소를 늘어놓은 건 아닐까? 뭔가 빠뜨린 건 없을까? 이 플라이휠이 실제로 작동할 거라는 사실은 무엇으로 입증하지? 서서히, 그들만의 특수한 플라이휠이 모습을 드러내곤 했다. 플라이휠의 순환고리가 완성되는 순간은 마치 조각 그림의 마지막 조각이 마침내 제자리를 찾았을 때와 같은 느낌이었다. 플라이휠이 명료해질 때, 이들 팀은 특별한 흥분을 경험했다. 좋은 회사에서 위대한 회사로의 돌파를 달성하거나 확장하는 데 필요한 성과 창출법을 깨닫고 느낄 때 찾아오는 흥분이었다.

훗날 뮤추얼 펀드의 거인 뱅가드Vanguard의 CEO가 되는 빌 맥너브Bill McNabb는 2009년 자신의 고위경영팀을 볼더로 데려와, 이틀 동안의 작업을 통해 자신들의 플라

이휠을 구체화했다. 그들은 뱅가드 추진력 장치의 본질을
포착하는 인상적인 작업을 수행했다. 그것을 간략한 플라
이휠 도해로 스케치해보면 다음과 같다.

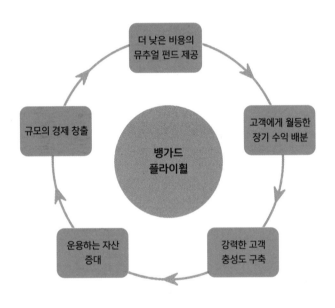

뱅가드 플라이휠의 각 구성 요소가 어떻게 하여 단지
'목록의 다음 행동 단계'가 아니라 거의 **앞선 단계의 필연
적 결과**가 되는지에 주목하라. 낮은 비용의 뮤추얼 펀드를

제공하면 투자자들에게 (동일한 자산에 투자하는 고비용의 펀드에 비해) 월등한 장기 수익을 배분하지 않을 방법이 거의 없다. 그리고 투자자들에게 월등한 수익을 배분하면 고객 충성도가 높아지지 않을 일은 거의 없다. 강력한 고객 충성도를 구축하면 운용 자산이 늘어나지 않을 일은 거의 없다. 운용 자산이 늘어나면 규모의 경제가 창출되지 않을 일은 거의 없다. 규모의 경제를 창출하면 고객들에게 제시하는 비용이 낮아지지 않을 일은 거의 없다.

뱅가드는 지난 수십 년간 이미 세계 최초의 인덱스 뮤추얼 펀드index mutual fund로 이름을 날린 전설적인 창업자 잭 보글Jack Bogle의 통찰력과 원칙을 토대로 비슷한 형태의 플라이휠을 만들어 돌려온 바 있었다. 그러나 잠시 멈추고 플라이휠의 기반 구조를 구체화하는 작업을 통해, 경영팀은 뱅가드가 추진력을 강도 높게 계속 쌓아갈 필요가 있다는 사실을 명료하게 인식했다. 2008~2009 금융 위기를 막 벗어나려는 시점에는 더더욱 그러했다. 2009년에서 2017년까지, 뱅가드의 플라이휠은 추진력을

계속 쌓아갔고, 운용 자산은 배 이상 늘어 4조 달러를 넘어섰다.[3]

뱅가드의 사례는 최고의 플라이휠이 어떻게 작동하는지 그 핵심적인 면을 설명해준다. 당신이 한 가지 구성 요소를 완수하면 자동으로 다음 구성 요소로 밀려 보내지고, 또 다음으로, 다음으로, 다음으로, 흡사 연쇄 반응처럼 자동 추진된다는 것이다. 자신의 플라이휠을 생각할 때 절대적으로 중요한 사항이 있다. 플라이휠을 절대 단순히 하나의 원으로 그려진, 정지된 목표의 목록에 불과하다고 여겨서는 안 된다. 플라이휠은 추진력에 불을 댕기고 가속시키는 일련의 '순차적' 과정을 담고 있어야 한다.

일련의 순차적 과정을 올바르게 파악하는 데 필요한 지적 규율을 통해 심원한 전략적 통찰을 얻을 수 있다. 스탠퍼드 경영대학원의 경영전략 교수 로버트 버글먼Robert Burgelman이 1982년 나를 포함한 학생들이 빼곡히 들어찬 한 강의실에서 설파했듯이, 사업과 인생에서의 가장 큰 위험은 명백하게 실패했을 때가 아니라 자신이 성공한 이유를 전혀 알지 못한 채 성공을 달성했을 때 온다. 버글먼의 통찰은 내가 위대한 기업들의 동인이 무엇인지에 관한 연구를 수행해온 25년 내내 내 머릿속을 빙빙 맴돌았다. 잘 나가던 회사들이 몰락하는 이유를 설명할 때는 더욱 그랬다. 당신의 플라이휠에 추진력을 부여하는 밑바닥 인자들을 깊이 이해할 때, 당신은 버글먼이 말한 덫을 피해갈 수 있다.

당신의 기업을 오래도록 떠받칠 플라이휠

흔히 범하는 큰 전략적 실수는 거창한 승리를 집요하게 공격적으로 추구하다가 실패하는 것이다. 리더들이 이런 실수를 하는 이유는 '다음 큰 한 방'을 끝없이 찾아 나서고 싶은 유혹에 빠지기 때문이다. 그들은 간혹 실제로 '다음 큰 한 방'을 찾기도 한다. 하지만 다수의 연구를 교차 분석한 우리의 연구 결과에 따르면, 당신이 자신의 플라이휠을 올바르게 설정하고 그것을 줄기차게 개량하고 확장해간다면, 그 플라이휠은 탁월한 내구력을 입증해 보이며 어쩌면 커다란 전략적 변곡점이나 격변하는 혼란기의 와중에도 당신의 조직을 건사해낼 수 있다. 그러나 그러자면 **플라이휠의 밑바탕 구조를 하나의 비즈니스나 활동 영역과 구분하여** 이해할 필요가 있다.

고전적인 역사적 사례를 들어 이를 설명해보겠다. 바로 인텔Intel의 메모리칩에서 마이크로프로세서로의 '극적인' 전환이다. 인텔은 창립 초기부터 무어의 법칙(적정 비용으로 완성되는 집적회로상의 소자素子 수는 약 18개월마다 배가된다는 경험적 관찰)을 활용한 플라이휠을 만들었다. 이러한 통찰을 기반으로 인텔의 창립 팀은 전략적 조합 장치 하나를 창조해냈다.

"고객들이 간절히 원하는 새로운 칩을 설계한다. 경쟁사들이 따라오기 전에는 가격을 높게 매긴다. (규모의 경제의 효과로) 수량이 증가함에 따라 단위당 비용을 계속 낮춘다. 경쟁사들이 가격을 낮출 때에도 높은 수익을 거둔다. 그 수익을 R&D에 재투자하여 차세대의 칩을 설계한다."

메모리칩 업계에서 인텔이 신생 업체에서 위대한 기업으로 부상할 수 있게 한 동력이 바로 이 플라이휠이었다.[4]

그 후 1980년대 중엽, 메모리칩 업계는 잔혹한 국제 가격 전쟁 속으로 내달렸다. 인텔의 매출은 떨어졌고 수익은 증발했다. CEO 고든 무어Gordon Moore 와 사장 앤디 그로브Andy Grove 는 냉혹한 현실을 마주했다. 인텔의 메모리칩 비즈니스는 경제적으로 버틸 수 없는 상태가 되었고 그 상태가 계속될 것만 같았다. 필독서《승자

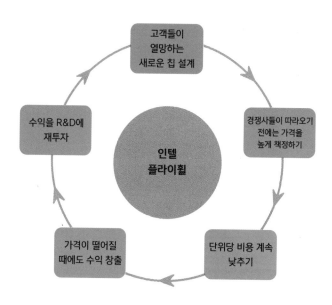

의 법칙》(한국경제신문사, 2003)에서 그로브는 '예수의 공현epiphany'을 묘사했다. 그가 무어에게 물었다. "우리가 내쫓기고 이사회에서 새 CEO를 영입한다면, 그가 어떻게 할 거라고 생각하십니까?" 무어는 명쾌하게 답했다. "우릴 기억 속에서 지우려 들겠지." 그러자 그로브가 잠시 생각에 잠겼다가 입을 열었다. "당신하고 내가 문밖으로 걸어 나왔다가, 다시 들어가서 스스로 과거의 자신을 기억 속에서 지우는 건 어때요?"[5] 그로브와 무어가 서로 상대를 가리키며 "당신, 해고야." 하고 말하는 모습이 머릿속에 떠오른다. 그런 다음 둘이서 홀 밖으로 걸어 나가서는 다시 서로를 가리키며 말한다. "당신, 채용됐어." 그러고는 다시 홀 안으로 걸어 들어와 '신임' 리더의 지위에서 말한다. "그래. 우린 기억을 지운 거야!"

자, 다음 물음을 생각해보자. 이처럼 대담한 행보를 보일 때, 인텔은 자신의 플라이휠을 포기한 상태였을까? 아니다! 인텔은 10년여 동안 마이크로프로세서 칩 분야에서 사이드 비즈니스 역량을 축적하고 있었고, 플라이휠의 밑바탕 구조는 메모리칩과 똑같이 마이크로프로세서 칩에도 견실하게 응용될 수 있었다. 분명히 다른 칩이었지만, 바탕의 플라이휠은 매우 흡사했다.

2002년 나는 '위대한 회사 만들기'라는 주제로 그로브와 내가 함께 진행하기로 돼 있던 대담을 준비하면서 그와 바로 이 문제에 관한 대화를 나누었다. 기억을 지우기로 한 결정에 관한 이야기에 이르자, 그로브는 플라이휠 구조라는 렌즈를 통해 들여다보면 메모리에서 마이크로프로세서로의 인텔의 대담한 전환은 겉으로 보이는 것처럼 그렇게 단절적이지는 않았다는 견해를 밝혔다. 그것은 사실 전적으로 새로운 플라이휠을 만들어내기 위한 거친 브레이크라기보다는 오히려 메모리에서 마이크로프로세서로 추진력이 이동하는 과정에 가까웠다. 인텔이 기억 속에서 빠져나올 때 플라이휠의 밑바탕 구조를 내팽개쳐버렸더라면, 개인용 컴퓨터 혁명에 동력을 불어넣은 칩 메이커의 선두주자가 되지는 못했을 것이다.

진정으로 위대한 기업에게 '큰 한 방'은 어떤 특정한 사업 방침이나 제품이나 아이디어나 발명품이 결코 아니다. 그들의 '큰 한 방'은 적절하게 창안된 플라이휠의 기반 구조다. 당신이 자신의 플라이휠을 올바르게 포착하면, 그것이 최소한 10년간, 어쩌면 그보다 훨씬 긴 기간 동안, 개량과 확장을 동반하며 추진력을 인도하고 구동할 수 있다. 아마존, 뱅가드, 인텔은 격변하는 세계에 반응하여 자신의 플라이휠을 파괴하지 않았다. 그들은 자신의 플라이휠을 계속 돌려 주위 세계에 균열을 만들었다.

당신이 지금까지 해온 일을 생각 없이 반복하는 것이 아니다. 진화하고 확장하고 확대하는 것이다. 그저 잭 보글의 S&P 500 인덱스 펀드를 제공하는 것이 아니다. 뱅가드 플라이휠에 부합하는 폭넓은 자산 범주 안에서 저비용 펀드들을 수없이 창출하는 것이다. 단지 온라인으로 책을 파는 것이 아니다. 아마존 플라이휠을 세계에서 가장 크고 가장 광범위한 전자상거래 점포 시스템으로 확장하고 발전시키며, 나아가 그 플라이휠을 더욱 확장하여 (킨들Kindle이나 알렉사Alexa 같은) 자체 제작 장치를 팔고

실제 소매 시장에까지 진출하는 것이다(2017년 아마존은 홀푸즈Whole Foods를 사들였다). 메모리칩에 악착같이 집착하는 것이 아니다. 인텔 플라이휠을 전혀 새로운 칩 범주에 재배치하는 것이다.

분명히 하건대, 내가 말하는 요지는 플라이휠이 당연히 영속할 거라는 말은 아니다. 하지만 이 세 가지 사례, 즉 아마존, 뱅가드, 인텔의 플라이휠 하나하나가 격변하는 업계에서 어떻게 작동하는지 한번 보라. 각 회사에서, 그 회사의 기반 플라이휠이 수십 년 동안 성장을 추진했다. 인텔은 칩 사업을 뛰어넘어 마침내 실질적인 진화를 이루어냈지만, 그렇다고 그 초창기 플라이휠 구조가 30여 년간 인텔을 위대한 기업으로 부상시키는 동력이 되었다는 사실이 달라지지는 않는다. 뱅가드 플라이휠 구조의 기저 논리는 반세기의 좌표를 찍는 시점까지도 사실상 변함없이 유지되었다. 그리고 이 글을 쓰고 있는 시점에도, 아마존 고유의 플라이휠은 처음 구현된 지 근 20년이 되도록 (개량과 확장 덕분에) 견고하고 적절한 상태를 유지하고 있다.

이 글의 뒷부분에서 나는 위대한 기업들이 어떻게 자신들의 플라이휠을 개량하고 확장해가는지 짚어볼 것이다. 당신이 어느 날 잠에서 깨어나 당신의 플라이휠이 더는 작동하지 않거나 망가져서 잊히려 한다는 걸 깨닫는다면, 그것을 재창조하거나 대체할 때가 되었다는 사실을 받아들여라. 그러나 자신의 플라이휠을 내던지기에 앞서, 먼저 당신이 그 바탕에 깔린 구조를 이해하고 있는지 확인해보라. 보존하며 개량하고 확장하는 것이 더 나은 전략일 때에는 훌륭한 플라이휠을 포기하지 말라.

나만의 플라이휠을 포착하는 7단계

그렇다면, 당신의 플라이휠을 포착하려면 어떻게 해야 할까? 우리 경영연구소에서 기본 프로세스를 하나 개발했다. 폭넓은 조직들과의 소크라테스식 대화 세션을 거치며 다듬어온 것이다. 필수 단계는 다음과 같다.

1 당신의 기업이 성취해온 성공 리스트를 만든다. 뜻깊고 반복 가능한 성공으로, 기대를 훌쩍 뛰어넘은 새로운 창안이나 제품 같은 것들이다.

2 실패와 실망 리스트를 만든다. 명백한 실패로 끝났거나, 기대에 훨씬 못 미친 새로운 창안이나 제품들이 포함된다.

3 성공과 실망 리스트를 비교하며 물어본다. "이 성공과 실망의 목록에서 우리 플라이휠의 잠재 구성 요소에 대해 알아낼 만한 것이 있는가?"

4 당신이 식별해낸 구성 요소들을 이용하여 (네 개에서 여섯 개정도를 고르라) 플라이휠을 그려본다. 플라이휠의 출발점은 어디일까? 순환고리의 정점에는 무엇을 놓을까? 다음은 무엇일까? 그 다음은? 각각의 구성 요소가 앞선 요소의 뒤를 따르는 이유를 설명할 수 있어야 한다. 순환고리의 정점으로 되돌아가도록 경로를 설계하라. 이 순환고리가 어떻게 자체 순환하며 추진력을 더하는지 설명할 수 있어야 한다.

5 구성 요소가 여섯 개가 넘으면 플라이휠을 너무 복잡하게 만든 것이다. 통합하고 단순화하여 플라이휠의 정수를 포

착하라.

6 당신의 성공과 실망 리스트에 견주어 플라이휠을 검증해본다. 당신의 실제 경험이 그것을 입증하는가? 당신의 가장 큰 반복적 성공이 플라이휠에서 직접 유발되는 성과로, 그리고 당신의 가장 큰 실망이 플라이휠을 실행하거나 고수하지 못한 결과로 설명될 수 있을 때까지 도해를 수정하라.

7 당신의 **고슴도치 콘셉트**의 세 원에 견주어 플라이휠을 검증해본다. 고슴도치 콘셉트는 다음 세 개의 원이 교차하는 부분에 대한 깊은 이해로부터 흘러나오는 간단명료한 개념이다. ① 당신이 깊은 열정을 가진 일, ② 당신이 세계 최고가 될 수 있는 일, ③ 당신의 경제나 자원 엔진을 움직이는 것. 플라이휠이 당신이 깊은 열정을 가진 일, 특히 기업을 인도하는 핵심 목표와 영속하는 핵심 가치에 부합하는가? 플라이휠이 당신이 세계 최고가 될 수 있는 일을 기반으로 하는가? 플라이휠이 당신의 경제나 자원 엔진에 연료를 공급하는가? (이 책의 부록에다 고슴도치 콘셉트같이 우리의 연구에서 추출한 개념들의 골자를 각 개념의 정의와 함께 짤막하게 요약해두었다. 이

부록은 또한 좋은 회사에서 위대한 회사로의 여행을 안내하는 개념도의 어느 부분에 플라이휠이 들어맞는지 보여준다. 본문에서 이 개념들을 처음 언급할 때는 **색으로** 표시해두겠다.)

초기 단계의 창업 기업처럼 이미 장착된 플라이휠 구성 요소들이 없는 조직들은 간혹 다른 이들이 이미 구축해놓은 플라이휠에서 통찰력을 수입해 들여오면서 과정을 한 단계 뛰어넘을 수 있다.

짐 젠티스Jim Gentes는 다른 헬멧보다 더 가볍고 공기역학을 잘 이용한 새로운 자전거 헬멧 디자인을 갖고서 지로 스포츠 디자인Giro Sport Design을 설립했다. 지로 헬멧을 쓰는 사이클리스트는 더 빠르고 멋지고 안전하게 달릴 수 있었다. 이 헬멧은 또한 세련되고 다채로웠다. 그에 반해 네모난 다른 헬멧들을 쓴 라이더는 마치 1950년대 B급 공포영화에 나오는, 외계에서 온 괴물 같았다. 시제품을 싣고 롱비치 자전거 쇼에 나간 젠티스는 8만 달러어치의 주문장을 싸 들고 자신의 원룸 아파트로 돌아와

서는 차고 안에서 여러 두름의 헬멧 제조에 착수했다.[6]

그런데 단 하나의 제품으로 어떻게 지속성 있는 플라이휠을 구축했을까? 더욱이 차고에서 출발한 스타트업이?

젠티스는 나이키Nike를 연구하며 긴요한 통찰을 그러모았다. 운동 용구에는 사회적 영향력의 위계가 있다. 예컨대 투르 드 프랑스Tour de France 우승자가 당신네 헬멧을 쓴다면 직업선수가 아니지만 사이클에 진지하게 임하는 수많은 사이클리스트들이 그 헬멧을 쓰고 싶어할 것이고, 그러면 영향력이 홍수처럼 불어나며 브랜드가 형성된다. 젠티스는 미국의 사이클링 선수 그레그 르몽드Greg LeMond의 지로 헬멧 착용 후원에 빈약한 회사 재원의 상당 부분을 베팅하며 이 통찰을 입증해 보였다.

1989 투르 드 프랑스의 극적인 피날레에서, 모든 것이 마지막 스테이지, 파리로 들어오는 타임 트라이얼*에 달

---

* 일정한 거리를 혼자서 달려 걸린 시간으로 승부를 겨루는 경기방식.

려 있었다. 르몽드는 타임 트라이얼 출발 시의 50초 격차를 극복하고 단 8초 차로 투르의 종합 우승자가 되면서 23일간의 경주를 마무리했다. 샹젤리제를 돌진해 내려오는 그의 머리에는 공기역학을 이용한 지로 헬멧이 씌워져 있었다. 갑자기, 수많은 라이더들에게 헬멧을 쓰는 것은 매우 멋스러운 일이 되었다. 물론 그 헬멧은 지로 헬멧이어야만 했다.[7]

그렇게 나이키의 플라이휠에서 핵심 통찰을 채용하고 그것을 자신의 위대한 신제품 발명 열정과 결합시킴으로써 젠티스는 지로를 차고 위로 치솟게 하는 플라이휠을 창조했다.

"위대한 제품을 발명한다. 엘리트 운동선수가 그것을 쓰게 한다. 격한 운동을 주말에 몰아서 하는 '주말 전사Weekend Warrior'들에게 자신의 영웅들을 흉내 내도록 고무한다. 주류 고객들을 끌어당긴다. 점점 더 많은 선수들이 제품을 쓰면서 브랜드 파워가 구축된다. 그러나 이어서 '멋스러운' 요인을 계속 유지하기 위해 고가 정책을 쓰고,

거기서 나온 수익을 다시 엘리트 선수들이 쓰고 싶어 하는 위대한 차세대 제품을 만들어내는 일에 투입한다."

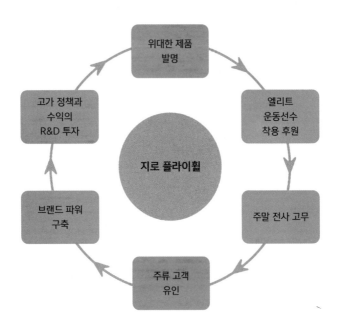

플라이휠이 전적으로 독창적일 필요는 없다. 성공한 두 조직이 유사한 플라이휠을 가질 수 있다. 중요한 것은 당신이 자신의 플라이휠을 얼마나 잘 이해하여 일련의 장기 반복 과정 중 각 구성 요소에 그것을 얼마나 잘 구현하느냐다.

제러드 텔리스Gerard Tellis 와 피터 골더Peter Golder 는 저서 《마켓리더의 조건》(시아컨텐츠, 2018)에서 새로운 사업 분야의 선도 혁신 기업들이 최종 승자가 된 적이 거의 없음을 증명해 보였다(10% 미만). 마찬가지로 우리의 엄선한 한 쌍의 비교 연구를 통틀어서도(《성공하는 기업들의 8가지 습관》《좋은 기업을 넘어 위대한 기업으로》《위대한 기업은 다 어디로 갔을까》《위대한 기업의 선택》), 가장 높은 성취도를 달성하는 것과 경기에 1번 타자로 등장하는 것 간의 체계적인 상관관계는 찾을 수 없었다. 이는 컴퓨터, 소프트웨어, 반도체, 의료기기와 같은 혁신 집약적인 산업에서조차 사실로 드러났다.

아마존과 인텔은 그들보다 앞선 선구자들의 뒤를 쫓아 생애를 시작했다. DRAM 칩 사업 초창기에는 어드밴스드 메모리 시스템즈Advanced Memory Systems 가 인텔보다 시장에서 우위를 점했고, 온라인 서점계에서는 북스닷컴Books.com 이 아마존보다 앞섰다.[8]

기업의 역사에서 큰 승리를 거둔 자들이 업계에서 경

쟁하는 데 요구되는 혁신의 한계 수위를 끊임없이 뛰어넘은 것은 확실하다. 그러나 그와 별개로 승자를 진실로 승자로 만든 것은, 비록 선구자들보다 늦게 출발했다 하더라도 초기의 성공을 줄기차게 돌아가는 플라이휠로 전환시키는 능력이었다.[9]

CEO가 아니어도 괜찮을까?

어쩌면 당신은 이렇게 생각하는지 모른다. "하지만 난 훨씬 큰 조직 안의 작은 단위 하나를 운영하고 있을 뿐이야. 내가 플라이휠을 만들 수 있을까?" 그렇다. 자신이 근무하는 개별 학교의 담장 안에서 플라이휠 효과를 활용하는 초등학교 교장 같은 단위 리더를 예로 들어보자.

데브 구스타프손Deb Gustafson 이 포트라일리 육군기지에 있는 웨어 초등학교의 교장으로 부임했을 때, 그녀가 물려받은 것은 캔자스 최초의 공립학교 중 하나로 성적이 좋지 않음을 뜻하는 '개선중on improvement' 평점을 받은 학교였다. 학생들 중 겨우 1/3만이 읽기 과목에서 학년 수준grade level에 도달해 있었다. 구스타프손은 (전근과 부대 배치에 따른) 학생들의 높은 전학률과 씨름했을 뿐 아니라, 35%의 교사 이동률에도 직면했다.[10] 그리고 아이들은 전시 군인 가족들의 긴장된 생활이라는 특수한 유형의 역경에 처해 있었다. 아이의 엄마나 아빠가 일 때문에 이동하는 건 그럴 수 있는 일이었다. 하지만 엄마나 아빠가 전투 지역에 배치되는 걸 지켜보는 건 전혀 다른 일이었다.

이 아이들에겐 기다릴 시간이 없다고 구스타프손은 다짐했다. 1학년이나 2학년 때 아이들을 잡아주지 못한다면, 아이들이 읽지 못하는 상태로 우리 학교를 떠난다면, 우리가 그들의 남은 삶을 망친 것이다. 우리가 그들의 삶을 망칠 수는 없지 않은가.

가르치는 것은 거래가 아니라 관계 맺기다. 구스타프손은 관계는 협동과 상호 존중의 토대 위에서만 구축될 수 있다고 믿었다. 부모들이 배에 실려 전장으로 떠날 때, 가족들이 나라를 위해 희생해야만 할 때, 아이들에게는 학교 안의 파벌 싸움은 전혀 필요하지 않다. 아이들에게 필요한 것은 교직원들이 자기네 편이며 모두가 자기들을 돕는 미션을 공유하고 있다는 평온한 느낌이다.

구스타프손은 훗날 《비영리 분야를 위한 좋은 조직을 넘어 위대한 조직으로》를 읽는 순간 플라이휠 개념을 자기네 학교에 어떻게 복제할 수 있을지 간파했다고 말했다. "플라이휠을 돌리는 부분에 이르렀을 때 나는 자리에서 풀쩍풀쩍 뛰고 있었습니다. 나는 모두가 같은 방향으로 움직이며 플라이휠을 밀 수 있게 한다면 곧바로 플라이휠이 자동으로 작동하기 시작할 거라는 아이디어를 사랑합니다." 구스타프손은 지방 교육감이나 캔자스 교육부 장관, 미합중국 교육부의 지침을 기다리지 않고 K-12 시스템˙의 플라이휠을 전면 개선했다. 그녀는 자신의 개별 학교 현장에서 단위 수준의 플라이휠을 만드는 일에 몸을 던졌다.

˙ 미국의 유치원부터 12학년까지의 교육 제도.

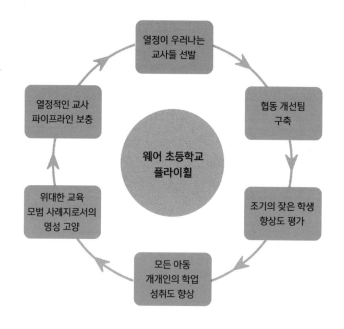

플라이휠 단계 1: 열정이 우러나는 교사들을 선발한다. "숙련된 교사들이 캔자스 농촌 지대의 군사 기지에서 학생들을 가르치도록 불러들이기가 쉽지 않았습니다." 구스타프손의 설명이다. "따라서 나는 열정이 가진 잠재력에 주목했습니다. 숙련되진 않았더라도 올바른 가치관과 억누를 수 없는 열정을 가진 사람들이라면 성과를 내는 교사로 육성, 활용할 수 있겠다고 생각한 거죠." 교실 전체에 진동하는 바로 그 열정의 에너지가 플라이휠을 돌아가게는 했으나, 그것은 인도, 유도되며 활용돼야만 했다. 숙련되지 않은 교사들을 전혀 준비되지 않은 상태로 그냥 교실 속에 던져넣는 것은 사실 아무런 의미가 없을 게 뻔했다.

거기서 구스타프손은 플라이휠 단계 2로 나아간다. 바로 협동 개선팀의 구축이다. 개개의 교사는 웨어 학교 문화의 본을 보여주는 숙련된 교사 한 명이 이끄는 팀에 합류한다. 팀의 교사들이 최소 주 1회씩 협동 개선 모임에서 만나 아이디어를 나누고, 피드백을 받고, 개별 학생의 성취도를 논하고, 웨어 학교의 교수법을 개선해감에 따라, 그 메커니즘이 결속력과 추진력을 창출해냈다.

그러나 자신이 어떻게 하고 있는지, 아이들 하나하나의 성취도가 어떤지 알아야 개선을 해나갈 수 있다. 거기서 웨어 학교는 곧바로 플라이휠 단계 3으로 내던져졌다. 학생의 향상도를 조기에, 그리고 자주 평가하는 것이다. 팀에서 공유되고 논의된 데이터의 연속적인 흐름이 에너지를 창출했다. "우리는 모든 아이들을 성공으로 이끌어야 한다! 우리는 어떤 아이도 뒤처져 실패하게 할 수 없다! 아이 한 명 한 명이 모두 중요하다!"는 에너지였다. 교사와 팀 들은 목표를 설정하고 혹 뒤처질지도 모르는 아이들을 돕는 구체적인 계획을 공들여 만들었다. 추진력이 증가하면서 팀들은 학교 리더들을 분기별로 만나 학생 지도 계획을 더욱 정교하게 가다듬고 플라이휠이 계속 돌아 단계 4로 나아가게 했다. 모든 아동 개개인의 학업 성취도를 향상시키는 것이다.

구스타프손과 교사들은 만족할 만한 수준으로 글을 읽는 학생들이 35%에도 채 미치지 못하던 학교를 물려받아 궤도를 전환시켰다. 1년 차 말에는 적절한 독해 능력을 갖춘 학생들이 55%가 됐고, 3년 차에는 69%, 5년 차에는 96%, 그리고 7, 8, 9년 차에는 99%를 넘어섰다.[11]

이 모든 것들이 자양분이 되어 플라이휠 스텝 5로 넘어갔다. 단지 학업 성취도만이 아니라 위대한 교육 모범 사례지로도 학교의 명성이 높아진 것이다. 그리고 그것이 다시 플라이휠을 돌려 스텝 6으로 나아가게 했다. 열정적인 교사의 파이프라인을 보충하는 것이다. 그러는 과정에서 웨어는 캔자스 주립대학교에서 전문성 연수 학교라는 지위를 얻었고, 나아가 이를 통해 플라이휠에 교육실습생과 인턴 교사들을 끊임없이 공급할 수 있었다.

"우리는 교수 역량을 갖춘 열정적인 사람들을 학교에 불러들였고, 그들은 우리 학교와 사랑에 빠졌습니다." 구스타프손의 설명이다. "개선책을 찾아 아이들에게 제공해 주는 일은 일종의 문화와 관계, 그리고 팀 동료들과의 협동심에서 비롯된 것이었습니다. 이 모든 것이 적합한 사람들에게 우리를 매력적으로 보이도록 만들었지요. 그에 따라 열정적인 사람들이 흘러들어오는 파이프라인이 지속적으로 유지되면서 우리는 다음 해에도, 또 다음 해에도 플라이휠을 돌릴 수 있었습니다." 이 글을 쓰는 지금, 구스타프손이 창조한 웨어 플라이휠은 15년 이상 계속 돌아가며 해마다 900명이나 되는 군사 기지의 아이들을 접하고 있다.[12]

구스타프손 교장처럼 조직의 하위 단위 수준에서 독자적인 위대성을 창출하는 리더들은 자신이 속한 조직이나 시스템에서 뭔가가 완성돼 나오기를 가만히 앉아서 기다리지 않는다. 그들은 자신이 책임진 단위 안에서 플라이휠 효과를 활용할 방법을 구상한다. 당신의 인생 경로가 어떠하든, 당신의 회사가 크든 작든, 영리 조직이든 비영리 조직이든, 당신이 CEO든 단위 리더든 상관없이, 이 질문에 답하라. "당신의 플라이휠을 어떻게 돌릴 것인가?"

당신은 사회운동과 스포츠 왕조에서 플라이휠 효과를 발견할 것이다. 괴물 록밴드와 위대한 영화감독에게서 플라이휠 효과를 발견할 것이다. 승리한 선거운동과 군사작전에서 플라이휠 효과를 발견할 것이다. 가장 성공한 장기 투자자와 가장 인상 깊은 자선가들한테서 플라이휠 효과를 발견할 것이다. 가장 존경받는 언론인과 가장 널리 읽히는 작가들한테서 플라이휠 효과를 발견할 것이다. 정말 오래 지속된 모든 위대한 기업들을 찬찬히 들여다보라. 처음엔 비록 알아보기 어려울지 몰라도, 아마 플라이휠이 작동하고 있는 모습을 발견하게 될 것이다.

플라이휠에 변화를 주고 확장하는 일을 어떻게 생각할 것인가 하는 문제에 들어가기에 앞서, 플라이휠의 원리가 얼마나 별난 곳에까지 응용될 수 있는지 예시해보겠다. 이 절의 마지막 이야기는 매우 창조적인 비영리 축제인 오하이 음악제Ojai Music Festival인데, 세계 최고의 뮤지션과 작곡가들이 마법 같은 장소에서 매년 음악적 모험을 연출한다.

오하이 플라이휠 사이클은 이색적이고 특출난 재주꾼을 끌어들이면서 시작된다. 해마다 다른 음악감독 한 명이 수석 음악 큐레이터의 책임을 떠맡는다. 초창기의 이고르 스트라빈스키Igor Stravinsky나 피에르 불레즈Pierre Boulez 같은 작곡가부터 오늘날의 바이올리니스트 패트리샤 코파친스카야Patricia Kopatchinskaja나 피아니스트 비제이 아이어Vijay Iyer까지, 각 음악감독은 자신만의 천재성을 발휘하며 처음 시작할 때부터 창조적 부활의 불꽃을 터뜨린다.[13] 페스티벌은 과제를 제시하지 않고 빈 캔버스를 설치해둔 모양새다. 요구라고는 걸작을 하나 그리라는 게 전부다. 그 걸작이 캔버스 위의 그림이 아니라, 아티스트와 청중을 함께 빨아들이는 음악적 체험이라는 점이 다를 뿐이다. "우리가 특출난 재주꾼을 오하이에 끌어들일 수 있었던 핵심 이유는 두 가지입니다." 근 20년간 음악제의 예술감독을 맡아온 톰 모리스Tom Morris의 설명이다. "첫째, 그들은 자신과 함께 연주하러 오는 사람들한테서 에너지를 받았고, 두 번째, 우리가 그들의 창조성을 불러일으킨다는 사실에서 활력을 얻었습니다. 마치 커다란 스노 글로브snow globe° 같았습니다. 흔들면 뭐가 내려오는지 보이는 거죠."[14]

플라이휠의 다음 스텝은 엄격한 제약에서 나온다. 페스티벌은 딱 나흘 만에 끝난다. 초월적인 창조성이든 현기증 나는 아이디어의 스노 글로브든, 그 모든 것이 하나의 꽉 짜인 프로그램 속에 버려져 녹아들어가야만 한다.

° 유리나 플라스틱 용기 안에 액체를 채워 넣고 모형이나 인형, 건축물, 이미지의 한 장면을 가운데에 세워 넣은 것으로, 속도를 조절해 흔들면 눈보라를 일으키며 환상적인 장면을 연출한다.

아이디어의 대부분이 결국 잘려나갈 수밖에 없다. 대단한 아이디어가 제아무리 많다 해도 마찬가지다. 이 사실은 우리를 중요한 통찰로 인도한다. 날것의 창조성에서 커뮤니티의 지원 증대까지 플라이휠에서 순간 포착되는 인과관계다. "우리는 청중의 감상을 일으키려 하지 않습니다." 모리스의 설명이다. "우리가 원하는 건 청중의 **열정적인** 리액션 **촉발**입니다."

모리스는 '그런 종류의 음악'을 좋아하지 않아 페스티벌에 참가한 적이 없는 오하이 타운 주민 한 명의 이야기를 들려주었다. 어느 날 그 주민은 우연히 페스티벌의 '이눅슈트Inuksuit'* 공연 현장으로 걸어 들어갔다. 존 루터 애덤스John Luther Adams가 작곡하고 90에서 99명의 타악기 연주자가 공연하는, 널찍한 공간을 필요로 하는 작품이었다. 내가 여기서 '걸어 들어갔다'고 표현한 것은 그 사람이 저 멀리 무대 위에 오케스트라가 있는 콘서트홀

• 캐나다 이누이트 인들의 방향 지시용 전통 표식에서 이름을 딴 작품.

의 한복판으로 걸어 들어갔다는 뜻이 아니다. 그는 정말로 말 그대로 공연 한복판으로 걸어 들어갔다.

　연주자들은 타운 파크 전역에 쭉 퍼져 수풀 속이나 길 위에서 연주했고, 청중들은 사방에서 들려오는 소리에 둘러싸였다. 톰톰, 심벌즈, 트라이앵글, 글로켄슈필, 사이렌, 피콜로, 그리고 다양한 크기와 모양의 드럼들이 곳곳에 자리 잡고 있었다. 조용히 시작한 음악은 차츰 커져 야단법석을 떨다가 다시 서서히 조용해지면서 종결부로 이어졌고, 나무 사이로 들려오는 동네 새들의 쩍쩍거림이 자연스럽게 뒤를 이었다. 연주자들은 주기적으로 다른 곳으로 이동하며 공원 곳곳을 돌아다녔는데, 심지어는 나무에 올라가는 사람도 있었다. 청중들은 어슬렁거리며 공원을 빙빙 돌았고, 펼쳐진 공연이 이 모든 것을 감싸안았다.[15] 순간 포착이 플라이휠이 되었고, '그런 종류의 음악'을 좋아하지 않던 한때의 회의론자는 그 체험으로 얼어붙어 코가 꿰이며 페스티벌의 열정적인 후원자로 변신했다.[16]

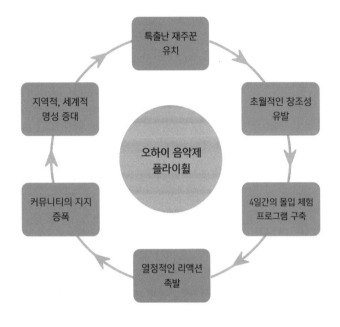

모리스와 동료들은 가장 열성적인 청중은 몰입되고, 고취되고, 도전받고, 경악하고, 기절초풍하고, 압도당하기를 원한다는 사실을 이해했다. 그들은 곧 잊어버릴 '멋진 경청의 순간'을 원하지 않는다. 그들은 영혼에 불을 지피고 정서적 충격이 오래가는 혁신적인 음악 체험을 통해 성장하기를 원한다. 페스티벌이 매번 약속한 대로 펼쳐질 때마다 플라이휠이 한 바퀴 돌며 자원의 엔진에 기름

을 채우고, 오하이의 명성을 쌓고, 특출난 재주꾼들의 파
도를 일으키면서, 다음 걸작을 창조하고 플라이휠을 새롭
게 돌렸다.

플라이휠 개량하기: 실행과 혁신

당신이 일단 플라이휠을 올바르게 정립하고 나면, 다음으
로는 추진력을 가속하기 위해 무엇을 더 잘해야 할 것인
가를 고민해야 한다. 플라이휠의 기본 속성은 '올바른 순
서 설정이 중요하다'는 것과, '개개의 구성 요소가 다른
모든 구성 요소들에 의존한다'는 것인데, 이는 **어느 한 가
지 주요한 구성 요소라도 불안정해지는 날에는 추진력이 지
속될 수 없다**는 뜻이다. 이런 식으로 생각해보자. 당신의
플라이휠에 6개의 구성 요소가 있다고 가정하고 각 요소
의 성능에 1부터 10까지의 점수를 매겨보는 것이다. 수행
점수가 각각 9, 10, 8, 3, 9, 10이라면 어떻게 될까? 플라
이휠 전체가 3점을 기록한 구성 요소의 수준에 머무르게
된다. 추진력을 다시 얻으려면 3점 요소를 적어도 8점까

지 끌어올릴 필요가 있다.

플라이휠이 올바르게 구상, 실행되면 지속력과 변화를 '동시에' 만들어낸다. 이때 한편으로는 조합의 효과를 최대로 얻을 수 있을 만큼 긴 기간 동안 플라이휠의 상태를 지속시키면서 다른 한편으로 플라이휠이 계속 돌아가게 하기 위해 개개의 구성 요소들을 지속적으로 개량하고 개선할 필요가 있다.

《성공하는 기업들의 8가지 습관》에서 제리 포라스Jerry I. Porass와 내가 관찰한 바에 따르면, 불멸의 위대한 기업을 세우는 사람들은 '아니면OR의 폭군'(사물은 반드시 A 아니면 B이지 둘 다는 아니라는 관점)을 거부한다. 대신에 그들은 '**그리고**AND **의 천재**'로서 스스로를 자유롭게 한다. 그들은 A나 B 중에서 하나를 고르는 대신, A와 B를 둘 다 갖는 방법을 생각해낸다. 플라이휠 문제에 이르면, 당신은 '그리고의 천재'를 꼭 끌어안고 플라이휠을 **지속**시키면서 플라이휠을 **개량**해가야 한다.

클리블랜드 클리닉Cleveland Clinic은 그리고의 천재(지

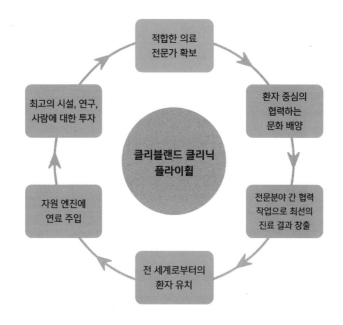

속력 '그리고' 변화)를 자신의 플라이휠에 끌어안음으로써 세계에서 가장 칭송받는 의료 기관이 되었다. 플라이휠의 뿌리는 클리닉의 설립 당시로 거슬러 올라가는데, 제1차 세계대전에 복무했다가 돌아온 의사 세 명이 군대의 팀워 크에 고취되어 세운 병원이었다. 전장에서 실려 오는 병 사들을 돌볼 때, 당신은 "보상은 뭐야? 이러면 보너스라 도 주나?" 하고 묻지 않는다. 당신은 동료들과 어깨를 맞

대고 일하면서, 가능한 한 많은 사람의 목숨을 구해 그들이 사랑하는 사람들이 있는 집으로 돌려보내기 위해 자신이 가진 기량은 무엇이든 내놓고 조합한다.

이러한 생명을 구하는 경험을 공유한 세 명의 의사는 전쟁이 끝난 후 독특하고 새로운 병원 하나를 세우기로 맹세했다. 환자 돌보기에만 전적으로 집중하는 사람들로 가득 채워진 고도의 협력 문화를 가진 병원이었다. 설립 초부터 클리블랜드 클리닉은 (환자나 진료 수에 따른 인센티브는 전혀 없이) 급료 베이스로 일하는 1급 의사들을 끌어들이는 데 집중했다. 그들을 움직이는 동기는 일차적으로 **환자에게 가장 좋은 진료를 한다**는 단 하나의 목표를 갖고서 세계 일류의 동료들과 함께 일한다는 것이었기 때문이다. 클리블랜드 클리닉 플라이휠은 진료 결과로 말하는 문화 속에서 일하는 적합한 사람들로 시작하여, 그것을 자양분 삼아 환자를 유치하고 자원 엔진을 구축한다. 또 그것을 다시 재배치하여 역량을 쌓고 적합한 사람들을 더 많이 끌어모아 플라이휠이 돌아갈 수 있게 추동한다.[17]

2004년 토비 코스그로브Toby Cosgrove 박사가 클리블랜드 클리닉의 CEO가 되었을 때, 그는 플라이휠의 정신과 논리 둘 다를 깊이 이해했다. 젊은 시절 군의관이었던 그는 베트남 전쟁에 파견되어 한 병원의 책임을 맡은 적이 있었다. 병원 설립자들처럼, 그도 사상자가 끊임없이 생겨나는 전쟁터의 혼돈 속에서 팀을 이루어 일하면서 서로 다른 기술을 가진 온갖 종류의 사람들을 동원하여 일을 처리하는 방식을 직접 배웠다.

그는 1975년 심장외과의로 클리블랜드 클리닉에 합류하여 병원의 심장 프로그램을 〈유에스 뉴스 앤 월드 리포트U.S. News & World Report〉의 랭킹 1위로 이끌었다. 하지만 이 모든 성공에도 불구하고, 코스그로브는 클리블랜드 클리닉이 환자가 맨 먼저라는 명제를 실천하려면 수정 보완을 할 필요가 있다고 느꼈다. 그는 자신과 동료들에게 환자를 더 잘 보살피기 위해 바꾸고 개선하고 창조할 필요가 있는 것들을 고민해보자는 과제를 주었다. 예컨대 그들은 외과나 심장학처럼 전문자격별로 편제된 전통적 체계가 그 전통을 중시한 나머지 전문분야 간 협력 작업을 지양하면서 환자에게 최선을 다하지 않는다는 것을 깨달았다. 그리하여 그들은 체계의 변화를 도입하여, 관련 전문분야의 의사들을 모두 한곳에 모은 밀러 가족 심장혈관연구소Miller Family Heart & Vascular Institute처럼 환자의 필요를 중심에 둔 연구소들을 만들었다.

자신의 저서 《병원의 미래 클리블랜드 클리닉》(김앤김북스, 2014)에서 코스그로브는 플라이휠을 개량하기 위해 꾀한 무수한 변화들(크고 작은 변화, 전략적이고 전술적인 변화, 구조적이고 상징적인 변화들)에 대해 상세히 설명한다. 클리블랜드 클리닉은 2004년에서 2016년까지 플라이휠의 추진력이 크게 폭발하며 수입, 방문 환자 수, 연구 기금 지원액이 모두 배가되는 한편, 오하이오에서 플로리다, 아부다비로 브랜드를 수출하며 네트워크를 확장했다. 그들은 플라이휠의 모든 구성 요소를 개량했으나, **그것을 해체하지는 않았다.** "밑바탕은 원래의 플라이휠입니다." 코스그로브의 말이다. "우린 거기에 다시 활력을 불어넣은 거죠."[18]

정지되거나 고착된 플라이휠에 대해서는 두 가지 설명이 가능하다. 설명 1: 밑바탕 플라이휠은 아무 이상 없으나, 개개의 구성 요소에 대한 혁신과 실행을 훌륭하게 수행하지 못하고 있는 경우다. 플라이휠에 다시 활력을 불어넣을 필요가 있다. 설명 2: 밑바탕 플라이휠이 더 이상 현실에 맞지 않아 상당한 수준의 변화를 가해야 하는 경우다. 시급히 정확한 진단을 내려야 한다.

(수십 년 정도의) 오랜 시간이 경과하는 동안에 플라이휠이 어쩌면 눈에 띄게 진화할지도 모른다. 당신이 구성 요소를 교체할지도 모른다. 구성 요소를 없애버릴지도 모른다. 구성 요소에 수정을 가할지도 모른다. 구성 요소의 범위를 좁히거나 넓힐지도 모른다. 순서를 조정할지도 모른다.

이런 변화는 당신이 근본적으로 새로운 활동이나 사업을 발견하거나 창출할 때 발명의 한 과정으로 일어날 수도 있다. 아니면 당신이 **냉혹한 사실을 직시하고** 당신의 플라이휠에 현존하는 위협에 관한 **생산적 편집증** productive paranoia*을 실천하는 과정에서 일어날 수도 있다. 예를 들어 수백만 명의 개인 정보 수집에 비즈니스 모델을 두고 있는 한 회사가 데이터 누출로 자신의 플라이휠이 위험에 처한 것을 알았다고 해보자. 경영팀 멤버들은 고객들의 프라이버시를 보호하고 신뢰를 얻는 일을 도맡아 하는 구성 요소를 삽입할 필요가 있음을 깨달았다. 플라이휠의 다른 구성 요소들은 그대로 남아 있지만, 이 긴요한 새 구성 요소 없이는 어느 날 깨어나 보니 회사가 사라질 위기에 처해 있을지도 모른다.

그렇다 해도 플라이휠의 순서나 구성 요소들에 근본적인 변화를 지속적으로 가해야만 한다고 느낀다면, 당신이 어쩌면 애초에 자신의 플라이휠을 올바르게 정립하지 못한 것일 수도 있다. 거대한 플라이휠이 잠재력이 다하거나 근본적으로 망가져서 정지하는 경우는 드물다. 가동을 잘못하거나 기본적으로는 튼튼한 플라이휠의 구조를 개량하

---

* 예측할 수 없는 미래를 우려하며 이에 대비하는 것.

거나 확장하지 못해서 추진력이 멎는 경우가 더 흔하다. 이
제 플라이휠의 확장이라는 주제로 넘어갈 차례다.

플라이휠 확장하기: 총알 먼저, 그 다음에 대포알

위대한 기업들은 어떤 방식으로 플라이휠을 확장해갈까?
답은 나와 동료 모튼 한센Morten Hansen이 공저《위대한
기업의 선택》에서 발굴한 콘셉트에 있다. 모튼과 나는 변
동 폭이 심한 업종에서 소규모 기업이 (투자자들에게 업계
평균의 10배가 넘는 수익을 안겨주며) 10X 승리자가 된 회사
들을 같은 환경에서 성공을 덜 거둔 비교 사례들과 견주
어가며 체계적으로 조사해보았다. 우리는 두 부류의 회사
들이 모두 큰 도박을 했으나 큰 차이가 있음을 발견했다.
크게 성공한 기업들은 이 도박이 과연 승산이 있을지 경
험적 검증을 거친 후에 도박을 거는 경향이 있었던 반면
에, 덜 성공한 기업들은 경험적 검증을 하기에 앞서 큰 도
박을 거는 경향이 있었다.

우리는 그 차이를 포착하여 **총알 쏘고, 다음에 대포알**fire

bullets, then cannonballs 이라는 개념을 주조했다.[19]

설명하자면 이렇다. 적선 한 척이 당신을 향해 돌진해 온다고 상정해보자. 당신 배의 화약 비축량은 한정돼 있다. 당신은 있는 화약을 몽땅 가져다 커다란 대포알 하나를 쏘는 데 쓴다. 대포알이 날아가 바다에 풍덩 빠진다. 다가오는 적선을 맞히지 못한 것이다. 화약고에 가보니 화약이 다 떨어졌다. 당신은 곤경에 처한다.

그런데 그러는 대신, 당신이 적선이 돌진해오는 걸 보고는 화약을 조금 가져다 총알 하나를 쏜다고 가정해보자. 총알이 40도 빗나간다. 다음 총알을 장전하고 쏜다. 30도 빗나간다. 세 번째 총알을 장전하고 쏘니 10도밖에 빗나가지 않는다. 다음 총알은 핑 하고 다가오는 적선의 선체에 적중한다. 당신은 경험적 검증치, 교정된 시선을 얻는다. 이제 당신은 남은 화약을 몽땅 가져다 교정된 시선에 맞추어 큼직한 대포알 한 방을 날린다. 적선이 가라앉는다.

우리의 모든 연구조사에 등장하는 위대한 기업들의 역사를 쭉 훑어보면, 자주 보이는 패턴 하나가 있다. 그들은 대개 특정한 사업 분야에서의 성공으로 시작하여 초창기 큰 투자의 대부분을 거기에 쏟는다. 그러나 그들은 곧 '사업 운영'에서 '플라이휠 돌리기'로 콘셉트를 전환한다. 시간이 가면서 그들은 총알을 쏘고 이어서 대포알을 쏘면서 자신의 플라이휠을 키운다. 그들은 처음 성공한 분야에서 플라이휠을 계속 돌리는 한편, 그와 동시에 총알을 쏘아가며 될 법한 것을 새로 찾고 불확실성으로부터의 위험을 피한다.

어떤 총알은 아무것도 맞히지 못하지만, 어떤 총알은 회사가 대포알을 쏘아도 되겠다고 판단하기에 충분할 만큼의 경험적 검증을 해주며 추진력이 대폭발하는 계기를 제공한다. 이런 확장으로 인해 플라이휠의 추진력 대부분이 생성되기도 하고, 드문 경우에는 (인텔이 마이크로프로세서로 전환했을 때처럼) 이전 것을 전면 대체하기도 한다.

애플의 플라이휠이 자신의 최대 산업, 즉 휴대용 스마트 기기로 확장되는 과정은 정확히 이 패턴을 따랐다. 2002년 애플의 플라이휠에 추진력을 제공하고 있던 것은 매킨토시 퍼스널컴퓨터 라인이 거의 전부였다. 그런데 회사는 아이팟iPod이라는 작은 물건에 총알 한 방을 쏘았다. 2001년 기업실적리포트에 애플 퍼스널컴퓨터 전략의 '중요하고 자연스러운 확장'이라고만 묘사된 물건이었다. 2002년 아이팟의 매출은 애플 총 매출의 3%에도 미치지 못했다. 애플은 아이팟에 총알을 계속 쏘아가며 그 연장선상에서 온라인 뮤직 스토어 하나를 개발했다(아이튠즈iTunes). 총알이 계속 적중하며 아이팟은 플라이휠에 추진력을 계속 더했고, 애플은 마침내 거대한 대포알 한 방을 날리며 아이팟과 아이튠즈에 커다란 도박을 했다. 이어서 애플은 아이팟에서 아이폰iPhone으로, 아이폰에서 아이패드iPad로 플라이휠을 계속 확장해갔고, 애플의 플라이휠 확장은 추진력의 가장 큰 발동기가 되었다.[20]

아래 표는 기업의 역사에서 멋지게 플라이휠을 확장한 사례의 목록이다. 어느 회사든 '총알에서 대포알로' 방식을 따라 오랜 기간 계속 돌아온 밑바탕 플라이휠을 확장하며 가속시켜왔다.

회사	플라이휠이 성공한 첫 분야	플라이휠을 크게 확장시킨 다음 분야
3M	연마재(사포 등)	접착제(스카치테이프 등)
아마존	소비자 상대 인터넷 소매	기업 상대 클라우드 이용 웹서비스
애플	퍼스널컴퓨터	휴대용 스마트기기 (아이팟, 아이폰, 아이패드)
보잉	군용 항공기	민영 제트기
IBM	회계표 작성기	컴퓨터
인텔	메모리칩	마이크로프로세서
존슨 앤드 존슨	의료 수술 장비	소비자용 건강관리 제품
크로거	소규모 잡화점	대형 슈퍼스토어
메리어트	레스토랑	호텔
머크	화학약품	의약품
마이크로소프트	컴퓨터 언어	오퍼레이팅시스템과 애플리케이션
노드스트롬	신발가게	백화점
뉴코어	쇠줄	철강 제품

프로그레시브	비표준 (고위험) 자동차보험	표준 자동차보험
사우스웨스트 항공	저가 주州내 항공(텍사스)	저가 주州간 항공(미대륙 횡단)
스트라이커	병원 침대	수술용품
월트 디즈니	애니메이션 영화	테마파크

새로운 활동이 플라이휠의 확장과는 구별되는 두 번째 플라이휠이 되는 건 언제일까? 겉보기에 '두 번째 플라이휠'로 보이는 것은 첫 번째 플라이휠의 '총알에서 대포알로' 확장으로서 유기적으로 발생하는 것이 대부분이다. 아마존이 아마존 웹서비스Amazon Web Services로 이 패턴을 정확히 보여주는데, 크고 작은 조직들은 이를 통해 컴퓨팅 능력을 효율적으로 구매하여 데이터를 저장하고 웹사이트를 관리하며 그 밖의 다른 기술 서비스들을 이용할 수 있다. 아마존 웹서비스는 아마존의 자체 전자상거래 활동에 백엔드 기술 지원을 하는 내부 시스템으로 시

작되었다. 2006년 회사는 외부 기업에 이와 똑같은 서비스를 제공하는 데 총알을 한 방 쏘았다. 총알은 과녁에 적중했고, 아마존은 대포알을 날리기에 충분한 계산을 마쳤다. 10년 뒤, 아마존 웹서비스는 (매출에서는 아직 아마존 총매출의 10%에도 미치지 못하지만) 아마존 영업이익의 상당 부분을 창출했다.[21]

아마존 웹서비스는 처음에는 소비자 상대 소매 비즈니스와는 전혀 다른 사업으로 보이지만, 실질적으로는 유사한 점이 많다. 베조스는 주주들에게 보내는 2015년도 연례 서한에서 이렇게 쓰고 있다. "겉보기에 둘은 공통점이라고는 하나도 없을 것 같습니다. 하나는 소비자를 섬기고 다른 하나는 기업을 섬기지요. … 물밑에서는, 둘이 결국 그렇게 다르지 않습니다." 아마존 웹서비스는 가격을 낮추고 점증하는 핵심 고객층에게 좀 더 많은 것을 제공함으로써 결과적으로 고정비용당 수입을 늘리고 그 동력으로 다시 플라이휠을 돌리는 것을 목표로 한다. 아이디어를 개관하면, 기업이 자신의 기술 수요를 충족시키는 것을 소비자가 아마존 장터에서 개인용품을 사는 것만큼이나 쉽고 비용 효율도 높게 만든다는 것이다. 두 사업의 운영 방식에는 분명히 차이가 있지만, 둘은 가계 혈통이 전혀 다른 존재라기보다는 오히려 쌍둥이 형제에 가깝다.

큰 조직은 모두 결국에는 저마다 미묘한 차이를 보이며 빙글빙글 돌아가는 다수의 서브플라이휠(부수적인 플라이휠)을 갖게 된다. 그러나 추진력을 최대로 끌어올리려면 그것들이 근저에 깔린 논리에 따라 하나로 결속돼야 한다. 그리고 개개의 서브플라이휠이 내부에서 꼭 맞물려 전체에 기여해야 한다.

가장 중요한 것은 치열한 창의성과 가차 없는 규율로 플라이휠 전체가(모든 구성 요소와 서브플라이휠도 함께) 계속 돌아가게 하는 것이다. 아마존 웹서비스의 초기 성장과 수익성에도 아랑곳없이, 베조스는 아마존의 소비자 상대 소매 비즈니스를 처음 창업할 때만큼이나 활기차고 에너지 넘치는 상태로 유지하는 데 부단히 집착했다. 무엇보다도, 아마존의 연간 수입이 2천억 달러 가까이 되었

을 때조차도 회사의 세계 소매시장 점유율은 1퍼센트가 채 안 되었으니 말이다.[22]

플라이휠 위에 머무르기:
'몰락하는 위대한 기업'의 운명을 피하는 방법

한때 위대했던 기업들의 소름 끼치는 몰락을 연구하면서, 우리는 그들이 맨 처음에 스스로를 위대하게 만들었던 핵심 원칙들을 저버리는 것을 본다. 그들은 나쁜 리더에게 권한을 부여한다. 그들은 **사람이 먼저** 원칙에서 방향을 틀어 **적합한 사람을 버스에 태우기**를 그만둔다. 그들은 냉혹한 사실을 직시하지 못한다. 그들은 고슴도치 콘셉트의 세 원을 벗어나 길을 잃고서, 자신들이 결코 세계 최고가 될 수 없는 사업에 투신한다. 그들은 관료제로 규율을 와해시킨다. 그들은 자신들의 핵심 가치를 오염시키고 목표를 잃는다. 그리고 한때 위대했던 기업들이 스스로도 의식하지 못하는 사이에 자신을 파괴하며 보여주는 가장 큰 패턴은 플라이휠의 원리를 고수하지 못하는 것이다.

《위대한 기업은 다 어디로 갔을까》연구에서, 우리는 한때 위대했던 기업들의 종말은 5단계로 진행됨을 발견했다. ①성공에서 유래한 자만, ②규율 없이 더 많은 것을 추구, ③리스크와 위험의 부정, ④구세주 붙잡기, ⑤항복 후 유명무실해지거나 사망. 단계 4, '구세주 붙잡기'에 특별히 주목하라. 회사가 단계 4로 떨어지면, 플라

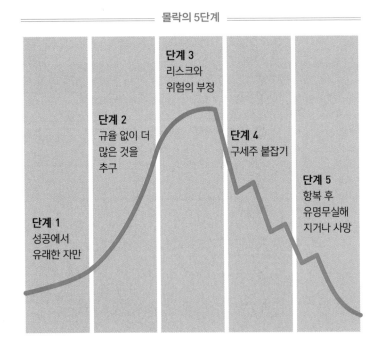

몰락의 5단계

단계 3
리스크와
위험의 부정

단계 2
규율 없이 더
많은 것을
추구

단계 4
구세주 붙잡기

단계 5
항복 후
유명무실해
지거나 사망

단계 1
성공에서
유래한 자만

이휠 추진력 구축의 정반대인 파멸의 올가미 앞에 무릎을 꿇는다. 그들은 카리스마 있는 구세주나, 검증되지 않은 전략이나, 보정되지 않은 커다란 대포알이나, 문화 혁명이나, '판을 바꾸는' 인수나, 변신 기술이나, 급격한 구조조정이나, 그 밖의 온갖 것들에 목을 매단다.

> 단계 4에서는, 구세주를 붙잡을 때마다 매번 희망이 솟구치고 순간적인 추진력이 창출된다. 그러나 밑바탕 플라이휠이 없으면 추진력은 오래가지 않는다. 그리고 구세주를 붙잡을 때마다 기업의 자본(금융 자본, 문화 자본, 주주 자본)은 잠식되고 약화된다. 플라이휠의 규율을 회복하지 못하는 한, 회사는 나선을 그리며 계속 추락하다가 마침내 단계 5로 진입할 공산이 크다. 단계 5에서 소생하는 기업은 없다. 게임이 끝난 것이다.

《좋은 기업을 넘어 위대한 기업으로》를 위한 초기 연구에서 우리가 조사한 바 있는 서킷 시티 Circuit City 는 나중에 《위대한 기업은 다 어디로 갔을까》에서 한 자리를 '얻는데', 그 종말은 플라이휠에 관한 중요한 교훈을 가르

쳐준다. 좋은 기업에서 위대한 기업으로 성장하던 연간에, 서킷 시티는 앨런 워츨Alan Wurtzel의 탁월한 **단계5의 리더십** 하에 존재감 없는 평범한 회사에서 슈퍼스타 성공기업으로 도약하면서, 잡동사니 가득한 하이파이hi-fi 음향기기 점포를 정교한 시스템의 소비자용 가전 슈퍼스토어로 변신시키며 15년 동안 일반 주식시장의 18배가 넘는 총 수익을 창출하여 투자자들에게 제공했다. 그러나 워츨 시대 이후 서킷 시티는 몰락하기 시작했다. 몰락의 초기 단계를 경과하는 회사들이 흔히 그러하듯 처음에는 거의 감지하지 못할 만큼 서서히 쇠락하다가는 이후 가파르게 단계 4로 곤두박질쳤고 곧바로 단계 5로 넘어가 유명무실해지며 죽음을 맞았다.

어떻게 이런 일이 일어났을까? 답의 상당 부분은 워츨 이후의 경영진이 플라이휠의 원칙과 관련하여 범한 두 가지 근본적인 실수에 있다. 첫째, 그들은 다음 큰 것 한 방을 찾는 데 한눈을 팔았다. 서킷 시티는 소비자용 가전 슈퍼스토어가 전국 곳곳의 명당 자리에서 밀려날 날이

올 거라 예상하고 새로운 성장 동력이 될 만한 거창한 아이디어를 찾았다. 이 자체는 아마존이 플라이휠을 추진할 새로운 아이디어를 계속 찾은 것만큼이나 훌륭한 생각이었다. 그러나 베조스 휘하의 아마존과 달리, 서킷 시티는 왕성하고 적절했던 소비자 가전 소매 비즈니스를 지키는데 소홀했다. 그러는 사이, 베스트 바이Best Buy라는 스타트업 경쟁사가 시장을 장악했다.[23]

둘째로, 이것이 서킷 시티의 종말에서 얻을 수 있는 가장 근본적인 교훈인데, 워즐 이후의 경영진은 플라이휠을 하나의 사업 라인이 아니라 확장 가능한 밑바탕 구조로 볼 경우 플라이휠이 얼마나 멀리 나아갈 수 있는지를 과소평가했다. 서킷 시티의 대비극은 회사가 카맥스Car-Max라는 극적인 확장 사업을 정말로 발굴했다는 것이다. 카맥스는 최소한 다음 20년간 추진력을 계속 창출할 수도 있었다. 카맥스의 기반이 된 아이디어는 워즐 팀이 하이파이 점포에 했던 일, 즉 잡동사니 산업을 하나의 신뢰성 높은 브랜드 하의 정교한 슈퍼스토어 시스템으로 전문화하

여 변신시키는 일을 중고 자동차 비즈니스에서 한다는 것 이었다.[24]

서킷 시티는 버지니아주 리치먼드의 첫번째 카맥스 가게로 총알을 하나 쏘았다. 가게는 성공했다. 그러자 노스 캐롤라이나의 롤리에 두 번째 카맥스를 열며 두 번째 총알을 쏘았는데, 이 역시 성공했다. 다음에는 조지아의 애틀랜타에 총알을 두 개 더 쏘았다. 경험적 검증을 마친 서킷 시티는 대포알 한 방을 날려 카맥스 슈퍼스토어를 열고, 곧이어 플로리다, 텍사스, 캘리포니아 등지의 새로운 지역으로 확장해갔다. 2000년대 초 카맥스는 매년 25% 가까이 성장하며 2002년에는 수익성 높은 판매로 30억 달러 이상의 수익을 창출했다.[25]

이제 잠깐 멈추고 이 점을 한번 생각해보자. 카맥스의 성공이 어찌하여 서킷 시티의 몰락의 전조가 되었을까? 서킷 시티는 카맥스로 몇 년간 상당한 가외 추진력을 창출할 수 있도록 플라이휠을 거대하고 새롭게 확장했다. 카맥스 플라이휠의 확장은 애플의 퍼스널컴퓨터에서 휴대용 스마트 기기로의 플라이휠 확장, 보잉의 프로 펠러 추진 군용 폭격기에서 민영 제트 항공기로의 플라 이휠 확장, 메리어트의 레스토랑에서 호텔로의 플라이휠 확장, 월트 디즈니의 애니메이션 영화에서 테마파크로의 플라이휠 확장과 유사하다고 할 수 있었다. 그리고 소비 자 가전 슈퍼스토어가 하나의 비즈니스로서 더 이상 지 탱할 수 없게 되는 날에는, (인텔이 메모리에서 빠져나와 마 이크로프로세서로 옮겨간 것과 유사하게) 회사가 자신의 모든 에너지를 카맥스로 재배치할 수 있었다. 그러나 그러려면 카맥스를 플라이휠 밑바탕 구조의 확장으로 보는 개념적 지혜가 필요했을 것이다.

슬프게도 워즐 이후의 경영진은 카맥스 슈퍼스토어를 없애고 카맥스를 독립된 별도의 회사로 만들었다. 이는 마치 인텔이 1985년에 마이크로프로세서 비즈니스를 떼 어내고 메모리칩 사업체로 남기로 결정하는 것과 같았다. 분리된 마이크로프로세서 회사는 성공할 수 있었을는지 모르지만 인텔은 아마 죽었을 것이다. 인텔로서는 다행스럽게도, 그로브와 무어에게는 마이크로프로세서를 밑바탕 플라이휠의 확장으로 보는 전략적 감각이 있었다. 서킷 시티는 이런 개념상의 도약을 하지 못했다.

앨런 워츨은 나중에 저서 《좋은 기업에서 위대한 기업을 거쳐 사라진 기업으로Good to Great to Gone》에서 이렇게 썼다(일독을 열렬히 권한다). "장기적 관점에서 볼 때 카맥스가 서킷 시티 포트폴리오의 일부로 남지 않은 것이 실망스럽다. … 카맥스의 초창기 전제는 소매 기업의 포트폴리오 하나를 새로 만들어, 성숙한 또 하나의 사업으로서 전체의 성장을 뒷받침하는 데 함께하도록 하는 것이었다."[26] 워츨은 카맥스를 더 큰 플라이휠의 일부로 이해했으나 그의 뒤를 이어 회사를 경영한 사람들은 그러지 않았다. 만일 서킷 시티가 (베스트 바이가 그랬던 것처럼) 소비자 가전 슈퍼스토어를 계속 새롭게 진화시켜가고 자신의 밑바탕 플라이휠을 (카맥스로 그리했던 것처럼) 새로운 영역으로 계속 확장해갔더라면, 회사는 계속 위대한 기업으로 남아 S&P 500에서 꾸준히 위로 치고 올라갔을 것이다. 그러는 대신 서킷 시티는 자신의 플라이휠의 추진력을 모두 잃고 몰락의 다음 단계로 급격히 기울어갔다. 아래로, 아래로 내려가다가 마침내 파멸의 올가미가 씌워지며 회사는 의미 없는 존재로 추락했다. 한때 좋은 기업에서 위대한 기업으로 성장했던 회사는 2008년 겨울 사망했다.[27]

끈기 있는 자만이 승리한다

무엇이 위대한 기업들을 그렇게 만드는가 하는 문제에 관한 연구를 25년 동안 수행하고 나니 (연구의 데이터베이스에는 6천여 년간의 기업 통사가 담겨 있다) 이제 명확한 평결을 내릴 수 있다. 크게 승리하는 자들은 플라이휠을 낑낑대며 열 바퀴 돌리다가 새로운 플라이휠을 찾아 다시 열 바퀴 돌리고 또 다른 새 플라이휠에 에너지를 분산시키고 그러면서 다른 플라이휠을 찾아 나서는 사람이 아니라, 한 플라이휠을 열 바퀴에서 십억 바퀴까지 계속 돌리는 사람이다. 플라이휠이 백 바퀴 돌면 천 바퀴 가고, 이어서 만 바퀴, 백만 바퀴, 천만 바퀴 가면서, 당신이 그 플라이휠을 포기하기로 의식적 결정을 내릴 때까지 (내리지 않는 한) 줄기차게 플라이휠을 돌리는 것이다.

단호하게 빠져나오고 집요하게 개량해야 하지만, 당신의 플라이휠을 결코 소홀히 하지 마라. 플라이휠을 한 바퀴 한 바퀴 돌릴 때마다 플라이휠을 맨 처음 끽끽거리며 한 바퀴 돌릴 때만큼이나 치열하게 당신의 창조력과 규율을 적용하라. 쉼 없이, 억척스럽게, 줄기차게 추진력을 쌓으라. 이렇게 하면, 당신의 조직은 '위대한 기업은 다 어디로 갔을까'의 대열에서 비껴져 나와 '좋은 기업에서 위대한 기업으로'의 도약을 달성하는 데 그치지 않고 '창업에서 수성까지' 해내는 몇몇 드문 기업의 한 자리를 차지할 가능성이 훨씬 더 커질 것이다.

Turning

부록
플라이휠 프레임워크
좋은 기업에서 위대한 기업으로의 여행 지도

the
Flywheel

나는《좋은 기업을 넘어 위대한 기업으로》제8장에서 플라이휠 효과에 대해 처음 쓴 후, 여러 해가 지나면서 분명해진 플라이휠의 원리에 관한 실천적 통찰을 나누기 위해 이 책을 썼다. 내가 이 책을 만들기로 맘먹은 것은 플라이휠이 공기업과 사기업, 거대 다국적기업, 소규모 가족 사업, 군대 조직과 프로 스포츠팀, 학교 시스템과 의료 기관, 투자회사와 자선단체, 사회운동과 비영리단체 등 폭넓은 범주의 조직들에서 적절하게 구상되어 활용될 때의 힘을 눈으로 직접 보아왔기 때문이다.

하지만 플라이휠 효과만으로는 조직을 위대하게 만들지 못한다. 플라이휠은 특정 원리 체계 안에서 작동한다. 무엇이 위대한 기업들을 그렇게 만드는가 하는 문제를 파고드는 지난 25년 이상에 걸친 연구를 통해 우리가 밝혀낸 원리 체계다. 우리는 위대한 기업이 된 회사들을 (유사한 상황에서) 그러지 못한 회사들과 비교하는 엄격한 비교쌍 연구법matched-pair research method을 통해 이 원리들을 추출했다. 우리는 비교 사례들의 역사를 체계적으로 분석하며 묻는다. "이 차이는 어떻게 설명될까?"(다음 도표 '좋은 기업에서 위대한 기업으로 비교쌍 연구법'을 보라.)

동료들과 나는 네 가지 중요한 연구에 역사적인 비교쌍 연구법을 적용했는데, 연구마다 각기 다른 렌즈를 사용했다. 연구 결과는 네 권의 책으로 발간되었다.《성공하는 기업들의 8가지 습관》(제리 포라스와의 공저),《좋은 기업을 넘어 위대한 기업으로》,《위대한 기업은 다 어디로 갔을까》,《위대한 기업의 선택》(모튼 한센과의 공저)이 그것

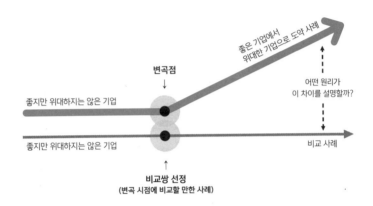

이다. 우리는《비영리 분야를 위한 좋은 조직을 넘어 위
대한 조직으로》에서 이 원리를 비즈니스 바깥 세계로까
지 확장했다.

우리의 연구 결과에 두루 등장하는 대단히 중요한 주
제 중 하나가 위대한 조직과 평범한 조직을 구별할 때의
규율의 역할이다. 진정한 규율에는 가치, 실적 기준, 장기
비전에 부합하지 않는 방식을 따르라는 압력을 거부하는
정신적 독립이 필요하다. 규율의 정당한 형태는 자기규율

로서, 내면의 의지를 갖고서 훌륭한 결과를 내기 위해 필요한 것은 아무리 어려울지라도 무엇이든 하는 것이다. 규율 있는 사람들이 있으면 위계질서가 필요없다. 규율 있는 사고를 하면 관료주의가 필요없다. 규율 있는 행동을 하면 지나친 통제가 필요없다. 규율의 문화를 기업가의 윤리와 결합시킬 때, 위대한 성취와 상관관계가 있는 강력한 합성물이 나온다.

불멸의 위대한 조직을 만들려면, 비즈니스에서든 사회적 영역에서든 규율 있는 사고를 하고 규율 있는 행동을 하며 우수한 성과를 만들어내고 세상에 특별한 영향을 끼치는 규율 있는 사람들이 필요하다. 다음으로 필요한 것은 오랫동안 추진력을 지속시키며 오래 버틸 수 있는 기초를 놓는 규율이다. 이로부터 체계의 골조가 형성되는데, 기본 네 단계는 다음과 같다.

단계 ① : 규율 있는 사람들

단계 ② : 규율 있는 사고

단계 ③ : 규율 있는 행동

단계 ④ : 창업에서 수성까지

네 단계는 각각 둘 또는 세 개의 기본 원리로 이루어져 있다. 플라이휠의 원리는 체계의 중심점, 즉 규율 있는 사고가 규율 있는 행동으로 진입하는 구심점에 주목한다. 원리들을 간략하게 설명하면 다음과 같다.

단계 1 : 규율 있는 사람들

단계5의 리더십

단계5의 리더들은 개인적 겸양과 불굴의 의지의 강력한 융합을 보여준다. 그들은 믿기지 않을 만큼 야망이 크지만, 그들의 야망은 일차적이고 자신을 우선하는 것이 아니라 대의, 즉 조직과 그 목적을 우선하는 것이다. 단계5의 리더들은 다양한 성격을 지녔지만, 대체로 자신을 내

세우지 않고 조용하며 내성적이고 심지어는 수줍음까지 타는 경우도 있다. 우리의 연구에서, 좋은 회사에서 위대한 회사로의 전환은 예외없이 감동을 주는 인격보다는 오히려 감동스러운 기준에 입각하여 사람들에게 동기를 부여하는 단계5의 리더들로부터 시작되었다. 이 개념은 《좋은 기업을 넘어 위대한 기업으로》에서 처음 개발되었고 《비영리 분야를 위한 좋은 조직을 넘어 위대한 조직으로》에서 더욱 다듬어졌다.

사람 먼저, 다음에 할 일:
적합한 사람들을 버스에 태우기

좋은 조직을 위대한 조직으로 이끈 리더들은 먼저 적합한 사람을 버스에 태우고 (부적합한 사람을 버스에서 내리게 하고) 나서야 버스를 어디로 몰고 갈지 생각한다. 그들은 항상 '누구'를 먼저 생각하고 다음에 '무엇'을 생각한다. 혼돈과 불확실에 직면하여 코너를 돌면 무엇이 나타날지 예측하는 게 거의 불가능할 때, 최선의 '전략'은 다음에 뭐가 나타나든 훌륭하게 적응하며 성과를 낼 수 있는 사람들을 버스에 가득 태우는 것이다. 위대한 사람들 없는 위대한 비전은 무의미하다. 이 개념은《좋은 기업을 넘어 위대한 기업으로》에서 처음 개발되었고《비영리 분야를 위한 좋은 조직을 넘어 위대한 조직으로》에서 더욱 다듬어졌다.

단계 2 : 규율 있는 사고

그리고의 천재

위대한 조직의 건설자들은 '아니면의 폭군'을 거부하고 '그리고의 천재'를 끌어안는다. 그들은 수많은 차원을 사이에 두고 있는 양극단을 동시에 끌어안는다. 예컨대 창조성 '그리고' 규율, 자유 '그리고' 책임, 냉혹한 사실을 직시하라 '그리고' 믿음을 잃지 마라, 경험적 검증 '그리고' 결정적 행동, 리스크 제한 '그리고' 큰 도박, 생산적 편집증 '그리고' 대담한 비전, 목적 '그리고' 수익, 지속성

'그리고' 변화, 단기 '그리고' 장기 같은 것들이다. 이 개념은 《성공하는 기업들의 8가지 습관》에서 처음 소개되었고 《좋은 기업을 넘어 위대한 기업으로》에서 더욱 숙성되었다.

냉혹한 사실을 직시하라: 스톡데일 패러독스

생산적 변화는 당신이 냉혹한 사실을 직시하는 규율을 가질 때 시작된다. 좋은 조직을 위대한 조직으로 이끌기 위해 가져야 할 최선의 마음가짐은 스톡데일 패러독스로 제시된다. 어려움이 있어도 결국엔 우리가 성공할 수 있고 또 성공할 거라는 절대적인 믿음을 유지해야 하며, **그와 동시에** 그게 무엇이든 눈앞의 현실 속의 가장 냉혹한 사실들을 직시할 수 있는 규율을 발휘해야 한다는 것이다. 이 개념은 《좋은 기업을 넘어 위대한 기업으로》에서 충분히 숙성되었다.

고슴도치 콘셉트

고슴도치 콘셉트는 다음 세 개의 원, 즉 ①당신이 깊은 열정을 가진 일, ②당신이 세계 최고가 될 수 있는 일, ③당신의 경제 또는 자원 엔진을 돌리는 일의 세 원이 교차하는 부분에 관한 깊은 이해에서 흘러나오는 간단명료한 개념이다.

경영진이 세 개의 원과 일치하는 결정을 내리겠다는 규율을 광적으로 따를 때, 그들은 좋은 기업에서 위대한 기업으로의 전환 변곡점으로 향하는 추진력에 발동을 걸기 시작한 것이다. 여기에는 무엇을 할 것인가에 관한 규율만이 아니라, 무엇을 하지 말아야 할지, 무슨 일을 그만두어야 할지에 관한 규율도 포함된다. 이 개념은《좋은 기업을 넘어 위대한 기업으로》에서 처음 개발되었고《비영리 분야를 위한 좋은 조직을 넘어 위대한 조직으로》에서 더욱 다듬어졌다.

단계 3 : 규율 있는 행동

플라이휠

결말이 제아무리 극적일지라도 위대한 기업의 건설은 결코 일거에 진행되지 않는다. 단 한 차례의 결정적인 행동, 원대한 프로그램, 한 가지 끝내주는 혁신, 혼자만의 행운, 한 순간의 기적 같은 것은 전혀 없다. 오히려 그 과정은 거대하고 무거운 플라이휠을 돌파점에 이를 때까지, 그리고 그 후로도 줄기차게, 한 바퀴 한 바퀴 가차없이 밀고 나가면서 추진력을 축적해가는 것이다.

플라이휠 효과를 극대화하기 위해서는 당신 특유의 플라이휠이 어떻게 돌아가는지 이해할 필요가 있다. 플라이휠 효과는《좋은 기업을 넘어 위대한 기업으로》에서 처음 개발되었고 그 활용법은 이 책에서 충분히 발전시켰다.

20마일 행군

소용돌이치는 세상에서 번창하는 회사들은 스스로에게 엄격한 수행실적 지표를 끈질기게 부과한다. 기상조건에 상관없이 매일같이 최소 20마일씩 행군하여 거대한 대륙을 가로질러 걷는 것과 같은 식이다. 행군은 무질서 위에 질서를, 혼돈 위에 규율을, 불확실성 속에 확실성을 부여한다. 다소 짧을 수도, 길 수도 있지만, 대다수 조직에서 한 해 20마일 행군 사이클은 잘 돌아간다. 그러나 사이클이야 어떻든, 20마일 행군에는 단기 집중도 필요하고(**이번** 사이클에 행군을 완수해야 한다) 장기 터닦기 작업도 필요하다(수년, 수십 년 이어질 **모든** 사이클에서 행군을 완수해야 한다).

20마일 행군은 돌파점을 달성하고 플라이휠의 추진력을 유지하는 일과 강한 상관관계가 있는 규율 있는 행동의 순화된 형태다. 이 개념은 《위대한 기업의 선택》에서 충분히 숙성되었다.

총알 쏘고, 다음에 대포알

혁신의 규모를 조절하는 능력, 즉 검증된 작은 아이디어 (총알)를 커다란 성공(대포알)으로 전환시키는 능력이 추진력의 대폭발을 불러올 수 있다. 먼저, 총알을 쏘아(비용도 덜 들고 리스크도 작으며 덜 산란한 실험) 무엇이 먹히는지 알아보라. 작은 총알을 쏘아 당신의 시선을 교정한다. 경험적 검증치를 얻었으면 교정된 시선에 맞추어 대포알을 한 방 날린다. 큰 도박에 자원을 집중한다. 교정된 대포알은 초대형 성과와 상관관계가 있고, 교정되지 않은 재앙과도 상관관계가 있다.

'총알 쏘고, 다음에 대포알'은 조직의 고슴도치 콘셉트의 반경을 확대하고 조직의 플라이휠을 전혀 새로운 영역으로 확장하는 일차적 메커니즘이다. 이 개념은 《위대한 기업의 선택》에서 충분히 숙성되었다.

단계 4 : 창업에서 수성까지

생산적 편집증

당신이 실수에서 배움을 얻을 수 있는 유일한 때는 거기서 당신이 살아남았을 때뿐이다. 거친 세상을 항해하다 몰락을 간신히 모면한 리더들은 상황은 예기치 않게, 격하고 빠르게 변화할 수 있다고 상정한다. 그들은 강박적으로 묻는다. "그럼 어쩌지? 그럼 어떡하지? 그러면 어떻게 해야 하지?" 그들은 강하고 유연한 지위에서 미리미리 준비하고, 여분을 비축하고, 안전 거리를 지키고, 리스크를 한계 내에서 관리하고, 좋은 시절이든 나쁜 시절이든 규율을 단련하며, 이탈을 조절한다.

생산적 편집증은 플라이휠을 탈선시켜 조직을 파괴할 수 있는 몰락의 5단계 속으로 조직이 떨어지지 않도록 예방주사를 놓아준다. 몰락의 5단계는 ①성공에서 유래한 자만, ②규율 없이 더 많은 것을 추구, ③리스크와 위험의 부정, ④구세주 붙잡기, ⑤항복 후 유명무실해지거나 사망이다. 생산적 편집증의 개념은《위대한 기업의 선택》에서 충분히 숙성되었고, 몰락의 5단계는《위대한 기업은 다 어디로 갔을까》에 충분히 개진돼 있다.

시간 알려주지 말고 시계 만들기

카리스마 있는 몽상가, 즉 모든 것이 그에게 의지하는 '천 명의 조력자를 가진 천재'로서 조직을 이끄는 것은 시간을 알려주는 것이다. 어떤 단일한 리더가 떠난 지 한참 지난 뒤에도 번성할 수 있는 문화를 만드는 것은 시계를 만드는 것이다. 조직 성공의 기반이 되는 단 하나의 위대한 아이디어를 찾아내는 것은 시간을 알려주는 것이다. 위대한 아이디어들을 많이 창안해낼 수 있는 조직을 건설하는 것은 시계를 만드는 것이다.

불멸의 위대한 기업을 만드는 리더들은 대체로 시간 알려주는 사람이 아니라 시계 만드는 사람들이다. 진정한 시계 제조자들에게, 성공은 조직이 한 리더의 재임 기간만이 아니라 다음 세대의 리더들이 플라이휠의 추진력을

더욱 증강시키며 그 위대함을 증명할 때 온다. 이 개념은
《성공하는 사람들의 8가지 습관》에서 충분히 숙성되었다.

핵심을 보존하고 발전을 자극하라

불멸의 위대한 조직들은 극적인 이중성의 구현체다. 한편
으로 그들은 시간이 흘러도 변함없이 유지되는 변치 않
는 핵심 가치와 핵심 목적(존재 이유)을 갖고 있다. 다른
한편으로 그들은 발전(변화, 개선, 혁신, 갱신)을 향한 가열
찬 욕구를 갖고 있다. 위대한 조직들은 (거의 변하지 않는)
자신들의 핵심 가치나 목적과 (변화하는 세계에 끝없이 적응
하는) 운영 전략이나 문화적 실천 간의 차이를 이해한다.

　발전을 향한 욕구는 흔히 조직으로 하여금 전적으로
새로운 역량을 개발하도록 자극하는 BHAGs(크고 위험하
고 대담한 목표Big Hairy Audacious Goals의 줄임말)로 발
현된다. 가장 좋은 BHAGs는 리더들이 자기네 플라이휠
이 얼마나 오래 갈 수 있을지 상상하고 자신들이 상상한
바를 성취하고자 몰입할 때 플라이휠 효과가 자연스럽게

확장되면서 등장하는 경우가 많다. 이 개념은《성공하는 사람들의 8가지 습관》에서 처음 개발되었고《좋은 기업을 넘어 위대한 기업으로》에서 더욱 숙성되었다.

10X 승수

행운당 수익

마지막으로, 이 체계 안의 다른 모든 원리들을 증폭시키는 원리가 하나 있다. 행운당 수익의 원리다. 우리의 연구는 위대한 기업들이 비교 기업들보다 대체로 운이 더 좋지는 않았다는 걸 보여주었다. 그들은 운이 더 많이 따랐던 것도 아니고, 불운이 적었던 것도 아니고, 행운의 꽃다발이 더 컸던 것도 아니고, 행운의 타이밍이 더 좋았던 것도 아니다. 대신에 그들은 행운당 더 높은 **수익**을 얻어 다른 기업들보다 더 많은 행운을 빚어냈다.

중요한 질문은 "당신이 행운을 잡을까"가 아니라, "당신이 잡은 행운으로 당신은 무엇을 할까"이다. 당신이 행운 이벤트에서 높은 수익을 얻으면 플라이휠의 추진력을 크게 끌어올릴 수 있다. 반대로 당신이 준비가 돼 있지 않아 불운 이벤트에 빠져든다면 플라이휠이 정지되거나 위험에 처할 수 있다. 이 컨셉은《위대한 기업의 선택》에서 충분히 숙성되었다.

위대함의 산출물

위의 원리들은 위대한 조직을 만드는 데 들어가는 투입물들이다. 당신은 이것들을 거의 '지도'로 삼아 위대한 기업이나 사회적 영역의 조직을 건설하는 길잡이로 활용할 수 있다. 그런데 위대한 조직을 정의하는 **산출물**은 무엇일까? 어떻게 여기에 도달하느냐가 아니라, 무엇이 위대한 조직인가, 위대함의 기준은 무엇인가 하는 물음이다. 여기 세 가지 검증 기준이 있다. 수월한 성과, 특유의 영향력, 충분한 지구력이다.

수월한 성과

비즈니스에서 수행실적은 재정 성과, 즉 투자자본당 수익과 기업 목적의 달성으로 정의된다. 사회적 영역에서 수행실적은 사회적 미션에 부응하여 내놓는 결과물과 효능감으로 정의된다. 그러나 비즈니스건 사회적 영역이건, 최상급의 성과를 달성해야 한다. 스포츠팀에 비유하자면, 우승해야 한다. 자신이 선택한 게임에서 우승의 길을 찾지 못한다면, 당신은 진정 위대해질 수 없다.

특유의 영향력

진정으로 위대한 기업은 자신이 관여하는 사회에 특유의 기여를 하고 자신의 일을 정말로 우수하게 해냄으로써, 그 기업이 사라질 경우 지구상의 다른 어떤 조직으로도 쉽사리 채울 수 없는 구멍을 남긴다. 당신의 조직이 사라진다면, 누가, 왜 그리워할까? 조직이 클 필요는 없다. 사라지면 무척이나 그리울, 작지만 유명한 동네 식당을 생각해보라. 큰 것이 곧 위대한 것은 아니고, 위대한 것이 곧 큰 것은 아니다.

충분한 지구력

진정으로 위대한 조직은 위대한 아이디어나 시장의 기회, 기술 사이클, 기금을 풍성하게 받은 프로그램을 뛰어넘어 오랜 기간 번성한다. 일이 차질을 빚어 큰 타격을 받았을 때는 이전보다 더 강한 조직으로 다시 튀어 오를 길을 찾는다. 위대한 기업은 어떤 비상한 리더 한 명에게 의존하는 것을 초월한다. 당신 없이는 당신의 조직이 위대할 수 없다면 그것은 아직 진정으로 위대한 조직이 아니다.

마지막으로, 당신의 조직이 궁극적인 위대함을 성취했다고 믿는 사람들에게 경고한다. '좋은 조직에서 위대한 조직으로'는 결코 완수되지 않는다. 얼마나 멀리 갔든, 얼마나 많은 것을 성취했든, 우리가 다음에 할 수 있는 것에 비하면 그저 좋은 수준일 뿐이다. 위대함은 최종 목적지가 아니라 본디 다이내믹한 과정이다. 스스로를 위대하다고 생각하는 순간, 평범한 조직으로 향하는 당신의 미끄러짐은 이미 시작됐을 것이다.

참고문헌

1 Sterphen Ressler, *Understanding the World's Greatest Struc-tures* (Chantilly, VA: The Teaching Company, 2011), Lecture 24.

2 Brad Stone, *The Everything Store* (New York, NY:Little, Brown and Company, 2013), 6-8,12,14,100-102,126-128,188,262-263,268.

3 Erika Fry, "Mutual Fund Giant Vanguard Flexes Its Muscles," *Fortune*, December 8, 2016, http://fortune.com/vanguard-mu-tual-funds-investment/; "Fast Facts about Vanguard," *The Vanguard Group, Inc*, 2017년 접속, https://about.vanguard.com/who-we-are/fast-facts/.

4 Robert N. Noyce, "MOSFET Semiconductor IC Memories," *Electronics World*, October 1970, 46; Gene Bylinsky, "How Intel Won Its Bet on Memory Chips," *Fortune*, November

1973, 142-147, 184; Robert N. Noyce, "Innovation: The Fruit of Success," *Technology Review*, February 1978, 24; "Innovative Intel," *Economist*, June 16, 1979, 94; Michael Annibale, "Intel: The Microprocessor Champ Gambles on Another Leap Forward," *Business Week*, April 14, 1980, 98; Mimi Real and Robert Warren, *A Revolution in Progress...A History of Intel to Date* (Santa Clara, CA: Intel Corporation, 1984), 4; Gordon E. Moore, "Cramming More Components onto Integrated Circuits," *Proceedings of the IEEE*, January 1998, 82-83; Leslie Berlin, *The Man Behind the Microchip* (New York, NY: Oxford University Press, 2005), 160, 170-172; "Moore's Law," *Intel Corporation*, Accessed in 2018, http://www.intel.com/technology/mooreslaw/.

5   Andrew S. Grove, *Only the Paranoid Survive: How to Exploit the Crisis Points that Challenge Every Company* (New York, NY: Crown Business; 1st Currency pbk. Ed edition, April 23, 2010), 85-89.

6   James C. Collins and William C. Lazier, *Managing the Small to Mid-Sized Company* (New York, NY: Richard D. Irwin Publishers, 1995), C47-C74.

7   James C. Collins and William C. Lazier, *Managing the Small to Mid-Sized Company* (New York, NY: Richard D. Irwin Publishers, 1995), C47-C74.

8   Jim Collins and Morten T. Hansen, *Great by Choice: Uncertainty, Chaos and Luck—Why Some Thrive Despite Them All* (New York, NY: Harper Business, 2011), 76; Brad Stone, *The Everything Store* (New York, NY: Little, Brown and Company,

2013), 34.

9   Gerard J. Tellis and Peter N. Golder, *Will & Vision* (New York, NY: McGraw-Hill,2002), 257; Jim Collins, *Good to Great: Why Some Companies Make the Leap and Others Don't* (New York, NY: HarperCollins Publishers Inc., 2001), 149, 152, 158; Jim Collins and Morten T. Hansen, *Great by Choice: Uncertainty, Chaos and Luck—Why Some Thrive Despite Them All* (New York, NY: HarperBusiness, 2011), 70-71, 72-73, 76, 89-90, 168; Jim Collins and Jerry I. Porras, *Built to Last: Successful Habits of Visionary Companies* (New York, NY: HaprerBusiness, 1994), 25-26.

10   Deb Gustafson과의 저자 인터뷰; Karin Chenoweth, "The Homework Conundrum," *The Huffington Post*, March 12, 2014, http://www.huffingtonpost.com/Karin-Chenoweth/the-homework-conundrum_b_4942273.html.

11   Deb Gustafson과의 저자 인터뷰; Karin Chenoweth, "How it's Being Done: Urgent Lessons from Unexpected Schools-Student Services Symposium," *The Education Trust*, May 17, 2010, 24-26.

12   Deb Gustafson과의 저자 인터뷰.

13   "About," *Ojai Music Festival*, 2018년 접속, https://www.ojaifestival.org/about/; "Milestones," *Ojai Music Festival*, 2018년 접속, https://www.ojaifestival.org/about/milestones/.

14   Tom Morris와의 저자 인터뷰.

15   "Inuksuit, John Luther Adams, and Ojai," *Ojai Music Festival*, 2018년 접속, https://www.ojaifestival.org/inuksuit-john-luther-adams-and-ojai/.

16 Tom Morris와의 저자 인터뷰.

17 Dr. Toby Cosgrove와의 저자 인터뷰; Toby Cosgrove, *The Cleve-land Clinic Way: Lessons in Excellence from One of the Word's Leading Health Care Organizations* (New York, NY: McGraw-Hill Education, 2013).

18 Dr. Toby Cosgrove와의 저자 인터뷰; Toby Cosgrove, *The Cleveland Clinic Way:Lessons in Excellence from One of the World's Leading Health Care Organizations* (New York, NY: McGraw-Hill Education, 2013); "Toby Cosgrove, M.D., Announces His Decision to Transition from President, CEO Role," *Cleveland Clinic*, May 1, 2017, https://newsroom.clevelandclinic.org/2017/05/01/toby-cosgrove-m-d-announces-decision-transition-president-ceo-role/; Lydia Coutré, "The Cosgrove Era Comes to a Close," *Cleveland Business*, December 10, 2017, http://www.crainscleveland.com/article/20171210/news/145131/cosgrove-era-comes-close.

19 Jim Collins and Morten T. Hansen, *Great by Choice: Uncertainty, Chaos and Luck—Why some Thrive Despite Them All* (New York, NY: HarperBusiness, 2011), Chapter 4.

20 Jim Collins and Morten T. Hansen, *Great by Choice: Uncertainty, Chaos and Luck—Why Some Thrive Despite Them All* (New York, NY: HarperBusiness, 2011), 91-95.

21 Amazon, *Fiscal 2015 Annual Letter to Shareholders* (Seattle, WA: Amazon, 2015); Amazon, *Fiscal 2016 Annual Report* (Seattle, WA: Amazon, 2016); Amazon, *Fiscal 2017 Annual Report* (Seattle, WA: Amazon, 2017); Alex Hern, "Amazon Web Services: the

secret to the onlene retailer's future success," *The Guardian*, February 2, 2017, https://www.theguardian.com/technology/2017/feb/02/amazon-web-secret-to-the-online-retailers-future-success; Robert Hof, "Ten Years Later, Amazon Web Services Defies Skeptics," *Forbes*, March 22, 2016, https://www.forbes.com/sites/roberthof/2016/03/22/ten-years-later-amazon-web-services-defies-skeptics/#244356466c44.

22 Amazon, *Fiscal 2017 Annual Report* (Seattle, WA: Amazon, 2017); "Global Retail Industry Worth USD 28 Trillion by 2019 – Analysis, Technologies & Forecats Report 2016- 2019 – Research and Markets," *Business Wire*, June 30, 2016, https://www.businesswire.com/news/home/20160630005551/en/Global-Retail-Industry-Worth-USD-28-Trillion.

23 Jim Collins, *How the Mighty Fall: And Why Some Companies Never Give In* (Boulder, CO: Jim Collins, 2009), 29-36.

24 Alan Wurtzel, *Good to Great to Gone: The 60 Year Rise and Fall of Circuit City*(New York, NY: Diversion Books, Kindle Edition, 2012), Chapter 8; Circuit city Stores, Inc., *Fiscal 2002 Annual Report* (Richmond, VA: Circuit City Stores, Inc., 2002); Michael Janofsky, "Circuit City Takes a Spin at Used Car Marketing," *The New York Times*, October 25, 1993, http://www.nytimes.com/1993/10/25/business/circuit-city-takes-a-spin-at-used-car-marketing.html; Mike McKesson, "Circuit City at Wheel of New Deal for Used-Car Shoppers: Megastores," *Los Angeles Times*, January 28, 1996, http://articles.latimes.com/1996-01-28/news/mn-29582_1_circuit-city.

25 Alan Wurtzel, *Good to Great to Gone: The 60 Year Rise and Fall of Circuit City* (New York, NY: Diversion Books, Kindle Edition, 2012), Chapter 8; Circuit City Stores, Inc., Fiscal 2002 Annual Report (Richmond, VA: Circuit City Stores, Inc.,2002).

26 Alan Wurtzel, *Good to Great to Gone: The 60 Year Rise and Fall of Circuit City* (New York, NY: Diversion Books, Kindle Edition, 2012), Loc 3542 of 5094.

27 Alan Wurtzel, *Good to Great to Gone: The 60 Year Rise and Fall of Circuit City* (New York, NY: Diversion Books, Kindle Edition, 2012), Chapter 8 and Chapter 19; Jesse Romero, "The Rise and Fall of Circuit City," *Federal Reserve Bank of Richmond*, 2013; Jim Collins, *How the Mighty Fall: And Why Some Companies Never Give In* (Boulder, CO: Jim Collins, 2009), 29-36.

Turning *the* Flywheel